北朝鮮の真実

〜北朝鮮は日本が創った国だった!?〜

まえがき

現代の日本人にとって、北朝鮮ほど、謎に満ちた国はほかにないでしょう。

マスコミの情報を見る限り、北朝鮮は、金一族による独裁国家で、恐怖政治が行われ、脱北者が絶えず、政権の批判をすると捕らえられ、民衆は貧しく、日々の食糧にも事欠いているようです。

さらには、日本に向けて、ミサイルを発射して脅しをかけ、日本に工作員を送り込み、日本国民を拉致して、自国で強制労働をさせているそうです。

これははたして本当でしょうか？　北朝鮮とは、いったいどんな国なのでしょうか。北朝鮮の国民は何を考え、どういった生活を送っているのでしょうか。

じつは北朝鮮には大きな秘密が隠されています。

それを理解するには、第二次世界大戦終戦間際までさかのぼる必要があります。

対米戦争における降伏を覚悟した、大日本帝国陸軍は、本国日本の降伏後の世界のために、世界中に兵士を送り込み、彼らにその後の世界をゆだねたのです。

彼らは日本が降伏した後も、世界各地で戦い続け、次々と、世界中の植民地を開放していきました。

その中には、彼ら自身が政権を取り、かつての大日本帝国の制度を復活させた国もあった、ということです。

そのような国の一つが北朝鮮であり、北朝鮮は、かつての大日本帝国の考え方に基づいて、今も運営されています。

これがわかると、謎に満ちているように見えた、北朝鮮の行動が、すべて理解できるようになります。

それでは、謎に満ちた北朝鮮の建国の経緯と、その考え方および行動を、ひとつひとつたどっていくことにいたしましょう。

目次

北朝鮮の真実4

畑中理は、金日成によって殺された!?
隠密裏に行われた王朝交代の謎

北朝鮮の真実5

北朝鮮は第2の日本⁉　北朝鮮国民に与えられた優遇措置とは

北朝鮮の真実8

横田めぐみさんは金正恩の母親だった⁉　拉致問題をめぐる謎②

北朝鮮の真実11

北朝鮮と中国の腐れ縁は金正恩が断ち切った⁉
二転三転する北中関係の謎

北朝鮮の真実12

トランプ大統領は北朝鮮の真実をすべて把握している!?
米朝首脳会談の裏舞台

北朝鮮の真実13

これからの日朝関係。ともに手を携えて輝く未来を!!

カバーデザイン　石田隆（ムシカゴグラフィクス）
本文仮名書体　文麗仮名（キャップス）

北朝鮮の真実１

北朝鮮は日本の味方⁉
金王朝が遂行する
陰のミッションとは？

味方はだあれ?

現在、世界中でディープステート掃討作戦が進んでいます。この中で、どの国が光側で、どの国が闇側となっているのでしょうか?

まず、日本自体はトップが闇側で、掃討作戦の対象とされています。

アメリカはトランプ前大統領を総大将とする光側の代表ですね。

日本に隣接する国々はほとんど闇側ですが、光側の国がアメリカを除いてあと2国あります。どことどこでしょうか?

表の国家間の友好関係とはあまり関係ありません。考えてみてください。

一つはロシアです。プーチン大統領はトランプ前大統領の同志で、率先してロシア国内のディープステート掃討作戦を実行し、アメリカCIAの勢力を一掃しています。後の頁で詳しく述べますが、プーチン大統領は、日本に対しても、日本国内で行われた、人工地震や人工台風、地下核実験の情報などを何度もリークしてくれていますね。

中国はもちろん闇側です。現在では習近平が闇側の総大将格ですね。韓国も闇側です。東南アジア諸国もトップはほとんど闇に支配されています。

あれ、あとどこかあったっけ？　という方もいるかと思いますが、どこか忘れていませんか。

そう、光側最後のもう1国は、北朝鮮です。

仮に近い将来、第三次世界大戦が勃発したとしたら、アジアにおける構図は、中国、韓国、東南アジア諸国vs日本、アメリカ、ロシア、北朝鮮となるでしょう。北朝鮮は今も昔も、日本の心強い味方なのです。

そんなばかな、北朝鮮はしょっちゅうミサイルを撃って、日本を脅してくるじゃないか、拉致問題だってまだ解決してないぞ、という方。あれにはいろいろと隠された事情があるのです。

そもそも北朝鮮は、日本を守るために、日本陸軍の残党が建国した、第2の日本ともいうべき国なのです。

北朝鮮建国の経緯

１９１０年から第二次世界大戦の終戦まで、朝鮮半島は日本の領土でした。

日本は朝鮮を、欧米諸国のように植民地として扱うことはせず、日本国内と同等の扱いをして、資本を投資し、産業を育成し、教育を整備しました。

この時投資され、作られた工場や生産設備は、ほとんどが平壌（ピョンヤン）を中心とする現在の北朝鮮の地域にあります。

朝鮮半島内では、日本人と朝鮮人や中国人がともに居住し、助け合って生活していました。

日本本土では１９４５年８月15日の玉音放送で、日本軍は戦闘を停止し、９月２日のミズーリ号上での降伏文書調印によって、第二次世界大戦は終結しました。

しかし、この後もまだ、朝鮮半島内では、陸軍の残留部隊が戦闘を続けていたのです。

平壌にあった、日本の朝鮮総督府がソ連軍に降伏し、朝鮮残留陸軍が武装解除されたのは1945年9月9日のことです。

南北分断統治

第二次世界大戦は、イタリア方式と呼ばれる方式で、戦後の統治国が決められていました。これは、相手国が降伏した時点で、その場所を制圧している国がそのまま戦後も統治するというスタイルです。

終戦の時点で、38度線を境に、北部をソ連軍、南部をアメリカ軍が占領していましたので、戦後もそのまま、2国による分断統治が行われました。

南部のほうは、早々にアメリカの完全統治が実現したようですが、北部においては、残留日本軍によるソ連への抵抗活動が根強く続けられていました。

ソ連軍は、日本軍の残党を見つけ次第逮捕し、シベリアへ送って、強制労働をさせていました（シベリア抑留）。

しかしソ連軍の目をかいくぐり、しぶとく抵抗を続けている者たちも存在しました。

それが、残置諜者と呼ばれる工作員たちです。

第二次世界大戦中の日本軍は、英米に比べると極めて弱い諜報活動能力しか持たず、何度も諜報戦で煮え湯を飲まされていましたが、それでも諜報員の養成機関は持っていました。

それが、陸軍中野学校です。この学校は、一般の士官学校とは異なり、生徒は武器を持たず、平服で長髪の格好をし、戦闘ではなく、主に、スパイ活動についての訓練を受けていました。

ここで潜入対象国の言葉や、思想、文化、歴史などを徹底的に学び、日本人であることを隠して、その国の人間として潜入し、そこで工作・破壊活動を行うわけです。

この中野学校出身の諜報員たちは、終戦前から、朝鮮人に成りすまして朝鮮に潜入し、朝鮮半島内で工作活動を行っていました。

これらの諜報員たちが、終戦後も日本人であることを隠し、ソ連の目を欺きながら、北朝鮮内で、工作活動を行い、アメリカに占領されている日本本国に代わって、アメリカをけん制する役割を担ったのです。これが残置諜者です。

畑中理（金策）

これらの北朝鮮の残置諜者たちを取りまとめ、活動を指揮していたのが、畑中理（はたなかおさむ）という人物です。彼は現地においては、金策（キムチエク）という朝鮮名を名乗り、朝鮮人の対日独立運動の闘士として、ソ連の目を欺いて活動していました。

ちなみに金策という名前は、彼がもともと残置諜者の中で、金策を担当していたからだといわれています。そのままですね。

朝鮮人民共和国建国の試み

残置諜者たちは、日本国内の日本軍の残党たちと連絡を取りながら、北朝鮮に新たな国家の創建を試みます。

その最初の試みが、終戦直後の9月に行われた、「朝鮮人民共和国」の建国でした。

これは北朝鮮各地に人民委員会を設置し、この委員会がソ連の意志を受けて間接統治を行うという企画です。人民委員会の主要メンバーはもちろん日本の残置諜者です。しかし、この試みは、ソ連にばれてしまい、失敗しました。この時、たくさんの残留軍人や残置諜者が逮捕され、シベリアに送られています。

しかしソ連は、直接統治がめんどくさかったのか、この人民委員会のシステムをそのまま残し、ソビエト民政庁が人民委員会に指示を出す形での間接統治形態をとります。

畑中をはじめとする、まだソ連にばれていない、多くの残置諜者たちは、この人民委員会に残ることに成功し、静かにチャンスをうかがうことになります。

朝鮮民主主義人民共和国の建国

畑中たちが待ちに待った絶好の機会は、翌1946年にやってきました。

アメリカが李承晩を擁立し、南朝鮮を独立させせようとしているという情報が入ってきたのです。

畑中は平壌の人民委員会議長として素早く動き、ソ連民政局に交渉して、北朝鮮を国家として独立させる運動を行います。

しかし、南朝鮮の李承晩に匹敵する、国家の旗印となる人物がいませんでした。

ソ連は独立国家建国を渋ります。

この時、畑中は、かつての日本軍諜報機関で培った技術で、残置諜者部隊の総力を挙げて、新国家の旗印として適切な人物を見つけ出します。

金日成

それが、金日成でした。
金日成は、第二次世界大戦中に、日本軍を相手とするパルチザン活動で名を挙げ、朝鮮国内での知名度がそこそこありました。
しかし後ろ盾となる組織がなく、朝鮮労働党の北部分局の責任書記という、地方の閑職でくすぶっていたのです。
畑中は、金日成に、日本軍の諜報機関が後ろ盾になることを告げ、金日成を新たな国家の指導者としてソ連に推薦します。

ソ連はこれを承認し、各地の人民委員会の統括組織としての「北朝鮮臨時人民委員会」を設立し、金日成はその初代委員長に就任します。

その後、1948年、南朝鮮における大韓民国の成立とともに、北朝鮮でもソ連軍が撤退し、朝鮮民主主義人民共和国が成立し、金日成はその初代首相に就任します。畑中理こと金策は、金日成に次ぐナンバーツーの副首相に就任し、北朝鮮労働党中央委員会常務委員を兼任し、北朝鮮の実権を握ります。

金日成の神格化

金日成は、地方の書記でくすぶっていたところを畑中に見いだされ、国家元首として担ぎ上げられました。彼は畑中に大きな恩義を感じており、彼の指示通り国政を行いました。

彼以外にも政府や労働党の要所要所は、旧日本軍の残置諜者でかためられ、金政権は旧日本軍の傀儡（かいらい）政権となりました。

この状態で、畑中は、戦前の日本の天皇制をモデルとして、金日成の神格化を推し進めていきます。

後ろ盾となる組織がない金日成は、自分が死んだ後、あっという間に失脚してしまうだろう、しかし、金日成を建国の父として神格化し、人民の崇拝の対象にしてしまえば、自分の死後も反乱は起こらず、国家元首を金日成の子孫に世襲していくことができるだろう、という読みです。

この神格化政策は大成功し、北朝鮮の国民は金日成を建国の父として崇拝し、金政権は安定していきました。

金日成は、北朝鮮の絶対君主として君臨すると同時に、旧日本軍残党の意志に従い、日本のためにアメリカをけん制するミッションを遂行することになったのです。

北朝鮮の真実２

朝鮮戦争は
日本を守るための戦いだった⁉
竹島問題の真実とは何か

李承晩の野望

1950年の初頭、サンフランシスコ平和条約発効を控えた吉田茂首相のもとに、とんでもない情報が飛び込んできました。

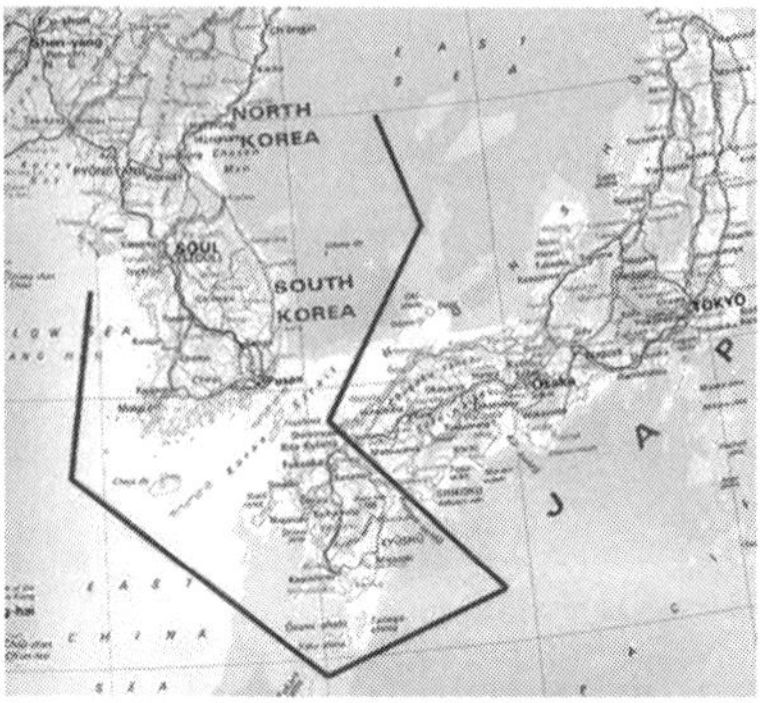

李承晩の初期プラン

韓国大統領、李承晩が、日本侵攻作戦を実行しようとしているというのです。

これがその時の李承晩の計画です。対馬・壱岐だけではなく、九州および種子島・屋久島までをも、大韓民国の支配下に置こうという戦略です。

李承晩はこの計画を実現するために、日本侵攻のための艦隊を釜山に集結させていました。

この時期の日本は、アメリカ軍の直接占領下にあり、自前の軍隊を持っていません。韓国の軍事侵攻に自力で対応する能力がないわけです。

また翌１９５１年には、サンフランシスコ講和会議が控えていました。この会議で平和条約が成立してしまえば、日本の独立が達成され、九州や対馬などは正式に日本の領土となります。

このタイミングが、韓国が日本の領土をかすめ取る最後のチャンスというわけです。

李承晩は、そもそも朝鮮半島が日本の統治下にあったことに不満を覚えていました。常々、韓国が日本を支配したいと考えていたところ、絶好の機会が訪れたというわけですね。

岸信介の暗躍

吉田はＧＨＱに相談し、韓国の動きをけん制してもらおうとしましたが、アメリカは動きませんでした。

当時アメリカは、日本に共産主義革命を起こして弱体化させようという民政局主導の政策から、日本を共産主義の防波堤にしようという参謀II部主導の政策に変更（逆コース）したばかりで、GHQ内部で民政局と参謀II部の主導権争いが行われており、意思統一ができなかったのです。

困った吉田は、かつての上司だった、岸信介に相談します。岸は後に総理大臣となりますが、この時は下野している状態でした。安倍元首相のおじいちゃんですね。

岸は戦争時にA級戦犯被疑者として投獄されていましたが、処刑を免れ、その2年前の1948年に、釈放となっていました。しかし公職追放されていたため、国会議員や官僚にはなれず、この時は在野で活動していました。

岸信介

彼は旧満州国の国務院の官僚時代に、満州全域の麻薬取引を統括し、国務院の財源をひねり出した業績があります。官僚でありながら、満州麻薬シンジケートの大ボスだったわけです。

後に日本国の首相になった岸は、表の世界と裏の世界の両方でトップに立った稀有な人物で、「昭和の妖怪」と呼ばれていました。孫の安倍晋三氏とは正反対のキャラクターですね。

この岸信介こそが、当時の旧満州や朝鮮の残置諜者を統括するハンドラーです。伊賀忍軍における、服部半蔵にあたる人物、といえばおわかりでしょうか。

岸は早速、中国・朝鮮全域に散らばる残置諜者たちに、行動を起こすよう指令を飛ばします。

金日成の賭け

この呼びかけにいち早く応えたのが、北朝鮮の金日成・金策（畑中理）コンビです。

２人は、日本の窮地を救うため、韓国の背後から攻め込む計略を練りました。

しかし、韓国に向けて全軍を進撃させてしまっては、背後からソ連および中国に攻め込まれる恐れがあります。

金日成も金策もこの時点では、スターリンや毛沢東とのつながりはまったくありません。

ここで金策は一計を案じ、1950年3月、金日成をモスクワに送り込みます。モスクワにおいて、隠密裏に、スターリンと金日成の首脳会談が行われました。金日成は北朝鮮が韓国に攻め込むこと、その際にソ連が中立を守ってくれること、を了承してくれるよう、スターリンに懇願します。

しかしスターリンはなかなか首を縦に振りません。

ここで金日成は、スターリンに対して、金策が授けた、一世一代のはったりをかまします。

自分は毛沢東と親しくしている、北朝鮮の韓国侵入はすでに毛沢東の了解を得ており、中国は中立を守ることを約束してくれている、と述べたのです。

これはもちろん大うそです。しかしスターリンは考え込み、後で回答すると述べて会談は打ち切りとなります。

金日成は帰国後すぐに北京に向かいます。北京では、もちろん初対面の毛沢東と会談し、韓国侵攻についての了承を求めます。

毛沢東は返事を渋りました。しかしここでもやはり金日成のはったりが炸裂します。

自分はモスクワに行き、スターリンと会談した。スターリンは快く、我が国の韓国侵攻を了承し、その際の軍事援助を約束してくれたと述べたのです。

毛沢東は驚愕し、思わず、北朝鮮の韓国侵攻と、援軍の派遣を了承してしまいます。

まったく、うそをつかせたら朝鮮人の右に出る者はいませんね。

金日成帰国後、ソ連からの、韓国侵攻の際の中立を約束する使節が到着し、これで準備は整いました。

朝鮮戦争開始!!

1950年6月25日、10万を超える北朝鮮軍が、38度線を越えて、韓国領へと侵攻しました。朝鮮戦争の始まりです。

韓国軍は、対馬侵攻のため、釜山に集結していましたので、完全に虚を突かれた感じになり、北朝鮮軍は破竹の進撃を続けます。

この間、韓国駐留の国連軍は指をくわえて見ているだけです。

北朝鮮軍はソウルを占領し、一気に釜山に向けて進軍します。北朝鮮があっさり朝鮮半島を制圧するかと思われた矢先の9月15日、アメリカがやっと重い腰を上げます。内部の勢力争いで意思統一がつかなかったGHQも、こうなってしまっては動かざるを得ません。すでに米ソ冷戦は始まっており、共産主義国家である北朝鮮の、自由主義陣営侵食を許すわけにはいきませんので。

7万5000のアメリカ軍は、釜山ではなく、いきなりソウルの目と鼻の先にある、朝鮮半島西岸の仁川に上陸します。

さすがにアメリカ軍は強かった。あっという間に朝鮮半島を制圧し、朝鮮半島から北朝鮮軍を完全に追い出してしまいます。

金日成と金策は、平壌を捨てて、中国の通化に逃げ延びます。ここで金日成は毛沢東に、約束通り、援軍を派遣することを要請します。

毛沢東はこれに応じ、義勇軍を派遣します。義勇軍といっても、一般の人民による軍ではなく、単に中国軍が名前を変えているだけです。

国際社会からの批判を恐れて、義勇軍という名にしただけですね。

金日成は中国軍とともに再び朝鮮半島に攻め込み、アメリカ軍を押し戻して、戦線は38度線付近で膠着状態になります。

北朝鮮のナイスアシスト

結局韓国は、対馬侵攻どころではなくなり、日本の領土は守られました。

また朝鮮戦争には、日本にとってもう一つの利点がありました。

戦争の間、日本は、軍隊を持っていないという理由で参戦せず、後方支援に徹して、アメリカ軍への武器・弾薬および食料を供給し続けました。

この軍事特需のため、戦後しばらく低迷していた日本経済は一気に息を吹き返し、その後の高度経済成長への足掛かりを得ることができたのです。

韓国の、対馬・壱岐および、九州への侵攻を阻み、経済成長の足掛かりを作った朝鮮戦争は、まさに北朝鮮の金日成&金策の、日本に対するナイスアシストと呼ぶことができるでしょう。

李承晩ライン

しかし野望を阻止された李承晩は、このままでは引き下がることはできません。

なんとか日本の領土をかすめ取ろうと画策した李承晩は、１９５２年1月18日、日本に対して、李承晩ラインと呼ばれる領土境界線を突きつけます。

それは左図のようなものです。

李承晩ライン

１９５０年初頭の、領土境界線に比べれば、ずいぶん控えめになっていますね。李承晩もさすがに朝鮮戦争で懲りたものと思われます。

それまで韓国と日本の領土境界線は、占領直後にマッカーサーが定めた、マッカーサーラインが用いられていました。

この李承晩ラインは、マッカーサーラインの境界線をわずかに東にずらしたものです。

しかしこの2つのラインには大きな違いがありました。

マッカーサーラインでは日本側にあった竹島が、李承晩ラインでは韓国側に入っているのです。

日本政府はこの見え見えの策略をしっかり見破り、韓国に李承晩ラインを承認しないと通告します。

3日間の空白

1952年の4月25日には、待ちに待った、サンフランシスコ講和条約の発効が控えていました。

この条約は、主要占領国11か国（イギリス・フランス・オランダ・カナダなど）のうち、過半数である6か国が批准すれば発効することになっていました。

結局条約を最後に批准することになったのはアメリカでした。4月25日のアメリカ議会でこの条約が批准されれば、条約は発効し、晴れて日本は独立となるわけです。この批准の日に合わせて、マッカーサーラインは4月25日で効力が切れることになっていました。その後は、サンフランシスコ講和条約によって、日本の領土が確定されるというわけです。

しかし、アメリカ議会における条約の批准手続きが長引いてしまい、条約の批准が4月28日にずれ込んでしまいました。すでに4月25日には、マッカーサーラインが停止されてしまっています。

結局4月25日から28日までの3日間、日本の領土を確定する法的基準が何もない、空白の3日間が生じてしまったというわけです。

李承晩はこのすきを見逃さず、すかさず韓国軍を派遣して、この3日間のうちに竹島を占領してしまいます。

日本は激しく抗議し、アメリカに出兵を求めますが、領土に関する法的根拠がない、ということで出兵は見送りになってしまいます。

25日以前ならマッカーサーライン、28日以後ならサンフランシスコ講和条約によって、竹島が日本の領土に規定され、それを根拠に出兵することができますが、この３日の間はどちらも適用範囲外となり、法的根拠がないということになってしまうわけです。

その後、朝鮮戦争そのものは、１９５３年６月、休戦協定が成立し、38度線に国境が設けられ、戦闘が一時終結します。この休戦状態は、実は現在でもまだ続いています。

結局、金日成&金策の働きで、対馬や壱岐、九州を守ることはできましたが、李承晩の抜け目ない動きによって、竹島を占領されてしまい、それが現在まで続いているというわけです。

わずかなすきを見逃さず、ちゃっかりかすめ取るところは、いかにも韓国人らしいですね。

北朝鮮の真実３

北朝鮮における核開発は、建国直後から行われていた⁉ 残置諜者の誓いとは何か？

北朝鮮の核開発

金正恩

忘れたころに飛んでくる北朝鮮のミサイルですが、一般的には北朝鮮が核兵器の開発を始めたのは1969年ごろとされています。

しかしこれは真実ではありません。北朝鮮は、建国直後から、核兵器の開発に着手しています。というか、核兵器を開発するために、北朝鮮が建国されたようなものです。

これを説明するためには、まずは北朝鮮を建国したとされる、残置諜者とは何者なのか、彼らはどのような思いで、異国において活動を続けているのか、について、理解しなくてはなりません。

残置諜者とは？

残置諜者は、日本軍のスパイです。しかし、一口にスパイといっても、みなさんがイメージする普通のスパイとは大きく異なっています。

普通のスパイというのは、CIAの諜報員を思い浮かべてみればよくわかると思います。CIAの諜報員は、本国（に巣食うディープステート）の指令を受け、相手国に潜入し、情報を入手して、それを本国（のディープステート）に送ります。時には本国（……以下略）の指示で、相手国で工作活動を行うこともあります。

彼らはすべて、本国からの指令で動き、本国に情報を持ち帰るのを任務にしているわけです。

しかし残置諜者はそうではありません。彼らは本国が滅亡し、敵国に占領されるのを前提として送り込まれたスパイなのです。

1944年の段階で、すでに陸軍は、大東亜戦争の敗戦を予見していました。陸軍は、公式には天皇陛下とともに最後の一兵まで戦うと公言し、国内向けには大本営発表で、勝利の報道を繰り返していましたが、実際にアメリカと戦っているのは彼らですから、日本軍が滅亡のふちにあるのは当然わかっています。

この段階からすでに、陸軍は、日本がアメリカに降伏し、占領されてしまった後のことを考えて、着々と手を打っていたのです。

彼らのプランはこうです。アジア各国に多数のスパイを送り込み、その国の人たちに紛れ込ませ、その国の国民として生活させる。日本が滅亡し、占領されたとしても、彼らは活動を続け、日本を陰ながら支援し続ける。そしてすきを見て、アメリカに不利になる行動を取り、潜入国がアメリカと戦い、アメリカを倒すように仕向ける。

こうすれば、日本本国がアメリカに降伏した後でも、アジア各地で反米活動が続けられ、うまくいけばアメリカに一泡吹かせられるだろう。もしもアジア各国で反米ののろしが上がり、連合してアメリカと戦うことができれば、日本本国の敵を討って、アメリカを倒すことすらできるかもしれない、ということです。

この目的のために、スパイ養成所である陸軍中野学校では、日夜訓練が続けられ、潜入国の言語や生活様式を完璧に身に付けたスパイたちが、日本本国が占領された後の世界で活動するために、アジア各国に送り込まれていきました。これらの人々が、主軸となって、その後もアジア各国で活動を繰り広げていくのです。

彼らに本国はありません。本国からの指令は永遠になく、本国に情報を送ることもありません。しかし彼らはアジア各国で、その国の国民として生活し、ことあらば日本を助け、アメリカを倒すことを誓って、日々活動を続けていきました。

上に挙げた以外にも、様々な形態の、本国の指令によらない独立自営型スパイがアジア各国で日本のために活動を続けていました。大きく分けると次の３パターンになるでしょうか。

①大東亜戦争開始前、あるいは戦時中に普通のスパイとして送り込まれ、活動を続けていたが、戦争終結とともに現地にとどまり、そのまま活動を継続することを選択した人々。

②本国降伏後も活動することを前提に、中野学校で訓練され、送り込まれた人々。

③戦争中は日本軍の兵士、あるいは日本占領地における民間企業で働いていたが、終戦とともに、現地にとどまり、活動していくことを選択した人々。

これらの人々を総称して、残置諜者と呼んでいるのです。

北朝鮮の建国者、畑中理は、①のパターンです。前項で挙げた岸信介は、自身が現地のスパイたちを率いて麻薬シンジケートを経営していたため、①の人々のことは全員知っていますが、②と③の人たちを知りません。

中野学校の関係者は②および、①の一部を知っていますが、③を知りません。

電通の経営陣は③を知っていますが、①と②を知りません。

というように、残置諜者の一部を知っている人はいますが、全貌を把握している人はいません。

彼らは基本的に、本国から完全に独立し、自らの判断に基づいて、日本を助け、アメリカと戦うことを誓って、現地で活動を続けていたのです。

アジア独立に際しての残置諜者の働き

日本がアメリカに無条件降伏し、大東亜戦争が終結した直後から、アジア各国では旧宗主国に対する独立戦争が始まります。

詳しくは、私の著書『第二次世界大戦の真実』をご一読ください。

この独立戦争において、反乱を主導し、現地の軍隊を訓練したのは、現地にとどまる残置諜者と旧日本軍の残党です。

過去何百年にわたって、戦っても勝てなかった欧米諸国に、これらの国々があっさり勝利を収め、独立を勝ち取ることができた裏には、現地で暗躍する残置諜者たちの活躍があったのです。

『第二次世界大戦の真実』で述べたように、彼らの活躍によって、大東亜戦争の戦争目的であった、アジア植民地の解放は達成され、結局日本は大東亜戦争に勝利を収めることができました。

この勝利には、本国降伏後も戦い続けた残置諜者たちの活躍が、大きく貢献していたということができるでしょう。

ベトナム戦争は大東亜戦争の第2ラウンド

残置諜者たちの間で、最大の盛り上がりを見せたのは、ベトナム戦争でしょうか。

一般にはベトナム戦争は、自由主義と共産主義の戦いといわれています。社会主義国の北ベトナムが、自由主義国の南ベトナムに攻め込み、フランスとアメリカが南ベトナムを支援しますが、ベトコンのゲリラ戦により撤退、ベトナムは社会主義国となってしまった、なんて言われていますね。

大規模な空爆を行い、近代兵器を駆使したアメリカ軍が、なぜ、竹やりとブービートラップを駆使するベトコンに敗れ去ってしまったのでしょうか？　そんなことがあり得るのでしょうか。このときアメリカは、いったい誰と戦っていたのでしょうか？

そういえば、以前にも同じようなことがありましたね。ガダルカナルやソロモンでは、空爆を行い、マシンガンを撃ってくるアメリカ軍に対して、日本軍は小銃一丁で最後の一兵まで立ち向かい、アメリカ軍を恐怖のどん底に叩き落としました。

ベトナム戦争

アメリカ軍とベトコンの戦いにそっくりですね。

この戦争は、自由主義と共産主義の戦いではありません。以前に行われた、植民地戦争の第2ラウンドです。

ベトナムは第二次世界大戦以前はフランスが植民地として支配していました（フランス領インドシナ）。終戦後、独立しようとするベトナムに対し、フランスが再び襲い掛かります。

それが、1946年に始まった第一次インドシナ戦争です。この戦争は1954年に終結しますが、このときフランスの支配下の南ベトナムと、ベトナム人の支配下の北ベトナムに分断されてしまいます。

これは、第二次世界大戦における日本軍の活躍で、植民地を失ってしまった欧米諸国と、それを背後で操り世界中を植民地化して支配しようとしたディープステートが、ベトナムの再植民地化を試みた戦争でした。

その後、南北ベトナム統一を旗印に、1960年、南北ベトナムとの間で第二次インドシナ戦争、いわゆるベトナム戦争が開始されます。

これはようするに、半分しか植民地を取り返せなかったディープステートが、ベトナム全土の植民地化を期して仕掛けた戦争です。

この戦争にアメリカが肩入れし、フランスの植民地支配を助けようとしたわけです。

これに際し、ベトナムおよび東南アジア全土の残置諜者と日本軍の残党が立ち上がり、南ベトナムの野望に立ち向かいます。

彼らにとって、北ベトナムが社会主義国である、なんてことはどうでもいいことです。とにかくアメリカを叩き、西欧諸国によるアジアの植民地化を止めることができればそれでいいわけです。

彼らは、アジア全土に広がる残置諜者のネットワークを通じて、情報の収集と物資の調達を行い、北ベトナム軍の中に潜り込み、軍を訓練、指揮して、アメリカと戦いました。

アメリカはこの時、ベトコンという名の、大日本帝国陸軍の残党たちと戦っていたのです。北ベトナム軍は、かつての日本軍と同様に、アメリカ軍と勇敢に戦い、ついにはアメリカをベトナムから追い出すことに成功したのです。

この戦いは彼らにとってまさに、大東亜戦争の第2ラウンドとも呼ぶべき戦いでした。そして今回は、ついにアメリカ軍に直接勝利し、ディープステートの野望をくじき、ベトナムを独立に導くことができたわけです。

まさに残置諜者たちにとって、満願成就の戦いであったといえるでしょう。

北朝鮮の核開発

話を元に戻しましょう。

アジア各国において、残置諜者は、陰に潜み、機会をうかがって活動する存在でした。しかし、その中でただ一国、残置諜者自身が政権を取った国がありました。

それが北朝鮮です。

それでは北朝鮮の残置諜者たちは、政権を手にした後にどう考えたでしょうか。

当然、本国日本を占領した、アメリカへの報復を考えます。彼らは、日本がアメリカに降伏した主な要因は、原子爆弾であると考えていました。

それならば、日本が動けない今、自分たちの力で原子爆弾を作り出し、アメリカに撃ち込んでやろう、これが北朝鮮が核開発を開始した主な理由です。

北朝鮮には核開発に必要なものがすべてそろっていました。

北朝鮮にはウラン鉱山があります。戦前に日本が作った、鉄鋼や化学コンビナートが残っています。さらには日本が建設した、鴨緑江にかかるダムと、当時、東洋一の規模を誇った水力発電所があります。

これに加えて、旧日本軍で原爆開発に携わっていた技術者たちや、満州、朝鮮にいた技術者たちも平壌に集結していました。

これらの物的、人的資源を使って、北朝鮮の残置諜者たちは、建国後、すぐに原子爆弾の開発を開始したのです。

というよりも、戦時中から続く原子爆弾の開発を、場所を変えて続行した、というべきかもしれません。

その中心となったのが、旧南満州鉄道の技術者たちです。

当時、蒸気機関車で世界最高速を誇る、特急あじあを開発した技術者たちですね。

南満州鉄道特急「あじあ」

ちなみに南満州鉄道は、技術者が北朝鮮に渡って核開発に携わる一方で、経営陣は日本に帰国し、広告代理店「電通」を立ち上げます。

電通は、日本国内のマスコミを支配し、アメリカ軍の目をかいくぐって、テレビやラジオを通じて世界中の残置諜者たちをサポートする情報誘導を行っていきます。

え、電通って、光側だったの？　ディープステートの手先なんじゃないの？　とおっしゃる方。

この時代の電通はピカピカの光側です。

しかし80年代初頭の内紛によって、電通内部の残置諜者たちはすべて追い出され、ディープステートに会社ごと乗っ取られてしまうのです。

この電通の陥落による日本国の損失は、計り知れないものがあります。80年代初頭を境に、日本国内のマスコミの論調は一変し、マスコミはディープステートの洗脳機関と成り果ててしまうのですが、それはまた後の頁で述べることにさせていただきます。

北朝鮮の真実４

畑中理は、
金日成によって殺された!?
隠密裏に行われた王朝交代の謎

北朝鮮と韓国

残置諜者が建国した北朝鮮は、本国日本が倒れた後、朝鮮半島に、第2の大日本帝国の建設を目指しました。

欧米諸国のディープステートたち（当時は「国際金融資本」と呼ばれていました）の手から、植民地諸国を解放し、陰ながら日本を助け、いざとなればアメリカと再び戦う、という使命を胸に、国家としての北朝鮮を発展させていこうとしていたのです。

これに対して韓国は、建国時点ですでに、ディープステートの支配下に置かれていました。

初代大統領の李承晩がそもそも、イルミナティ13血流の一つ、李家の出身です。大韓民国は、大東亜戦争による日本の活躍で解放された植民地を、再び占領し、朝鮮半島全域をディープステートの支配下に置き、ややもすれば、日本本土の領地までもかすめ取るために、DSによって、創建された国家なのです。

その韓国による、対馬・壱岐・九州占領の企みを防ぐために、朝鮮戦争が行われたというわけです。

残置諜者は買収できない

しかし、そんな北朝鮮に対しても、ディープステートは手を伸ばし、いつものように金や女性で誘惑し、弱みを握って脅しをかける試みがなされました。

他の国ではこれはとても有効で、日本本国の政治家や企業経営者、芸能人なども軒並み陥落してしまったのは、みなさんご存じの通りです。

しかし北朝鮮においては、この試みはことごとく失敗に終わりました。

そもそもお金や女性を与えられて、それを受け取って言うことを聞く人というのは、この世界における欲望の充足や、生きやすさを追求している人たちです。

北朝鮮の上層部にいる残置諜者たちは、そんなことには興味がありません。彼らは、日々の仕事に邁進しながら、心の中で、「いつかアメリカを倒し、大日本帝国を復興させてやる、俺はこのミッションに命をささげる」と思っているわけです。

その人たちが、お金や女性のために、自らに与えられた聖なる使命を手放す、ということは絶対ない、というわけです。

他国においてはこのほかにも、地位や名声による誘惑もありましたが、これはすでにディープステートがその国を支配しているからできることです。そもそも上層部にディープステートが入り込めない北朝鮮では、この手は使えません。

結局、北朝鮮は、日本本国を含め、あらゆる国がディープステートの支配下に置かれる中で、ただ一国、ディープステートがまったく入り込めない国となったのです。

金王朝内部の確執

朝鮮戦争が始まるころまで、金日成と金策（畑中理）のパートナーシップは盤石でした。

しかし戦争終盤になってくると、この2人の関係がかなり怪しくなってきます。

中国軍の力を借りたとはいえ、北朝鮮軍がアメリカの侵攻を止め、これを追い返したという事実は、それを指揮した金日成の、北朝鮮国内における、信頼と名声を頂点にまで押し上げました。

こうなってくると、金日成としては、「もう俺は自力でやっていける」と思うのは人情です。それまで自分をバックアップしてくれた、金策こと畑中理が目障りになってくるわけです。

金策は、朝鮮戦争終結直前の、1951年に死去しました。死因については、北朝鮮当局は「戦死」と発表しました。

後に刊行された、金日成自伝『世紀とともに』によると、前線指揮の疲労による心臓麻痺だ、とされています。

林隠（許真）の『北朝鮮王朝成立秘史―金日成正伝』によると、朝鮮戦争の責任を擦（なす）り付け合った末の、金日成による暗殺とされています。

前後の流れを考えると、やはり、畑中理は、金日成の手によって、暗殺されたと考えるのが妥当でしょう。金日成は、自らの名声が高まった機会に目の上のタンコブの金策を排除した、と考えられます。

畑中理が残した爆弾

しかし畑中もただでは転びません。暗殺された時点で、すでに彼は、後に金王朝を揺るがす爆弾を仕掛け終わっていたといえます。

その爆弾とは……後に金日成の後継者となる、金正日です。

金正日は1941年2月16日にソビエト連邦の極東地方に生まれました。

金正日

出生名はユーリイ・イルセノヴィチ・キム。朝鮮式の幼名は有羅（ユーラ）。これはロシア名「ユーリイ」に由来しています。

金策は、もともと朝鮮共産党で活動していました。このころから10歳年下の金日成と行動をともにしていたようです。その後、2人は当時まだ地方政党に過ぎなかった、中国共産党に入党して、中華民国政府相手のレジスタンスを展開します。

しかしその後、2人は弾圧を受けて、ソ連に亡命し、ソ連極東軍第88特別偵察旅団に編入されました。当時、金日成は金策の部下で、この旅団には後に金日成の妻となる金正淑（金正日の実母）もいました。

1941年1月から6月のあいだに、金策と金日成と金正淑とは同じ野営で暮らしていたようです。そのときに金策と金正淑との間にできた子が、金正日だということらしいのです。

その後、金正淑は金日成と結婚しますが、その時、おなかに上司の子供を宿したまま結婚したということのようです。

金正淑には5人の子がいますが、金日成は、明らかに自分の子であることがわかっている次男の金万一をかわいがり、この子に自分の跡を継がせたかったようです。

しかし、金策存命中は金策自身の目があり、死亡後も、北朝鮮上層部に残る残置諜者たちの監視がありましたので、金正日を無碍（むげ）に扱うことはできませんでした。

隠密裏に行われたクーデター

金正日は、いちおう1972年の時点で、残置諜者たちの支持を受け、次期指導者に内定していました。

しかし彼の後継者としての地位は、盤石とは程遠いものでした。

当時は北朝鮮建国に携わっていた残置諜者たちは数少なくなっており、中国の支持を受けた朝鮮人の官吏たちや、アメリカCIAのスパイたちも、北朝鮮内を跋扈（ばっこ）するようになっていました。

王朝内で、親中派の金日成と、親日派の金正日親子の確執は激しくなり、様々な派閥抗争が行われていたようです。

金日成は、1994年に死去しました。その後、北朝鮮内で、金正日が、権力を継承したという報道はなされましたが、長い間金正日は、国際社会にその姿を見せることとはありませんでした。

１９９７年から２０００年にかけて、北朝鮮では「深化組事件」と呼ばれる大量粛清事件が発生します。これは金正日が、父である金日成時代の古参幹部、その側近および家族たちを徹底的に粛清したという事件です。

この粛清が終わった、２０００年5月、金正日は北京を訪れ、江沢民主席と会談を行って、初めて北朝鮮の指導者として国際舞台に姿を現します。

金日成の死は、公式には心臓麻痺とされています。しかし当時から、金正日に殺された、とか、金正日が電話をかけて金日成を罵倒し、ショックで心臓麻痺を起こした、とかいう説がささやかれています。

私は、金日成の死は、残置諜者の支持を受けた金正日のクーデターであったと考えています。

金日成の死後は、北朝鮮国内で親中派と親日派の抗争が激化し、結局親日派が親中派を一掃し、再び残置諜者の手に、北朝鮮の統治権を戻したのが、深化組事件であったということです。

何はともあれ、クーデターは隠密裏に実行され、その結果、北朝鮮には、畑中理を父とする、日本人の金正日を指導者とする王朝が、成立したというわけです。

日本人の王が統治した国

実は、朝鮮半島に日本人を王とする王朝が成立したという事例は、過去にも一度あったのです。それは、統一新羅です。

歴史の教科書で、左のような地図を見たことありませんか？　これは5世紀後半の朝鮮半島の地図です。

5世紀後半の朝鮮半島

地図の下部で倭となっているのはもちろん日本、伽耶（任那）というのは、朝鮮半島における日本領です。

この後、新羅が伽耶を併合し、高句麗、百済、新羅の三国による血みどろの争いが展開されますが、結局唐と組んだ新羅が百済と高句麗を滅ぼし、676年、朝鮮半島を統一します。

新羅の建国者は朴赫居世です。２代南解次王の時の大輔（首相兼軍司令官）が昔脱解という人物で、この人物が日本出身（但馬か丹波）とされています。

その後、新羅で王朝交代が起こり、この昔脱解が４代目の国王となります。新羅では、17代目でもう一度王朝交代が行われ、奈勿王と呼ばれた金閼智が即位しますが、彼も脱解の庶子の子孫とされているので、やはり日本人です。

結局新羅は、王朝交代によって４代目の王から日本人となり、そこから56代敬順王まで、すべての王が日本人だったわけです。

新羅の指導部は、基本的に親日で、迫りくる唐の脅威から、日本を守ってくれました。

しかし肝心の日本の方はといえば、新羅に滅ぼされた百済の勢力が増大し、百済系の藤原氏によって、朝廷が乗っ取られてしまっていました。

結局日本は、新羅を敵視し、最後は新羅を見捨ててしまいます。

朝鮮半島では８９２年に後百済、９０１年には後高句麗が建国され、新羅の領土は削られていき、滅亡への道を歩んでいきました。

幸いなことにこの時は、唐の国内に黄巣の乱が発生していて、対外進出どころではなかったので事なきを得ました。

しかし、新羅の国力がもう少し早く衰えていたら、日本本土が唐の侵攻にさらされていたかもしれない、危うい状態でした。

ちなみに百済は、ツングース系扶余族、現代の韓国は新羅系の韓族で、民族系統はまったく別です。

歴史は繰り返す?

現代の日本と北朝鮮の関係は、かつての日本と新羅の関係にそっくりです。

日本人の指導者が治める朝鮮半島の北朝鮮が、日本のために一生懸命頑張っていますが、肝心の日本の指導部は、中国や韓国の勢力に乗っ取られ、これを敵視し、見捨てようとしています。

このまま北朝鮮が滅びてしまった場合、果たして中国の侵攻を抑えることができるのでしょうか。

歴史は繰り返す……ことにならなければよいのですが。

北朝鮮の真実５

北朝鮮は第２の日本!?
北朝鮮国民に与えられた
優遇措置とは

北朝鮮との非公式の交流

というわけで、北朝鮮は日本によって建国され、日本人の指導者を持つ、第2の日本とでもいうべき存在となったわけです。

しかし、日本は長らくアメリカの占領下に置かれ、独立後も、米軍基地が国内に残っており、事実上アメリカとCIAの監視下に置かれていました。

アメリカの方針に合わせ、日本政府は北朝鮮に建国された、朝鮮民主主義人民共和国を国家として承認せず、正式な国交のない状態となりました。

北朝鮮に対しては、パスポートを持って、ビザを発行してもらい、正式な手続きを経て入国する、という通常の手続きが使えないわけです。

また、国家として正式に貿易することもできません。

北朝鮮は、ディープステートメンバーの入国を拒否し続けましたので、DSからにらまれ、世界中の国から、承認を受けることができず、正式な出入国も貿易もできない、という、事実上の鎖国状態とされてしまいました。

これに対して、事情を知っている日本政府と日本企業は、アメリカの目をごまかし、ひそかに北朝鮮と人的、物的交流を行います。

北朝鮮への帰還事業

第二次世界大戦終結時点で、日本国内には約500万人の朝鮮半島出身者が残っていました。戦争終結前は、朝鮮半島は日本の領土でしたので、この時、この人たちは日本国籍を保持していたわけです。

この人々の朝鮮半島への帰還は、GHQの主導で、終戦直後から始められ、サンフランシスコ講和条約締結前の時点で、400万人が、帰還していました。

サンフランシスコ講和条約が発効し、日本が独立して、その領土が明確化された時点で、日本に残る100万人の朝鮮半島出身者は、国籍を失ってしまったのです。

さらには、朝鮮戦争の戦火を逃れた難民が日本に流入し、この人たちは戦争で荒廃した朝鮮半島に帰ることを望まず、日本国内に定住することを希望します。

とりあえず、初期の段階では、国交のある韓国の人々については、韓国政府との外交交渉で処理することとして、国交のない北朝鮮の人々をどうするかが大問題になりました。

北朝鮮への帰国事業は、1959年12月14日から始まりました。北朝鮮とは国交がなかったため、日朝双方の赤十字による慈善事業という形で行われました。

赤十字の帰国船が新潟を出港し、北朝鮮に向かいます。この後も、帰国船は日本と北朝鮮の間を何度も往復し、在日朝鮮人が帰還していきました。

この事業は60年代、70年代にまたがって行われ、最終的には84年までの間に、在日朝鮮人9万3340人が北朝鮮に帰国します。そのうちには、日本国籍を持ちながら、北朝鮮に渡航した日本人、6839人も含まれています。

帰国事業の真実

というのが、帰国事業についての公式発表です。しかしこの赤十字の帰国船というのは、要するに、北朝鮮と日本の間の貿易船です。

また、北朝鮮に行く船には多数の北朝鮮への帰還者が乗っていましたが、逆に北朝鮮から日本に向かう船の中にも、北朝鮮から日本に入国する人々がたくさん乗っていました。

帰国船は、赤十字の船だけではなく、多数の民間船や、万景峰号などの、北朝鮮船籍の船も含まれていました。

北朝鮮とは国交がなく、貿易もないことになっていましたが、実はこれらの帰国船によって、事実上、北朝鮮と日本の間は、自由に出入国が可能であり、商品の持ち込みも持ち出しも、自在に行われていたのです。

核開発に必要な機材も、帰国船に載せて自由に持ち込まれ、必要な技術者も、日本からいくらでも補充できたというわけです。

北朝鮮に渡った多くの日本人は、もちろん、自らの意志で北朝鮮渡航を決意し、北朝鮮の発展に尽くしていった人たちなのです。

マスコミのアシスト

北朝鮮との人的交流に際して、当時のマスコミは全面的なアシストを行いました。

この背景には、当時まだ光の勢力であった、電通の意向が大きく働いています。

当時のマスコミは、韓国を、軍事独裁制による弾圧国家として報道する一方、北朝鮮を「地上の楽園」として持ち上げ、日本からの移住を奨励していました。

これは、北朝鮮は第2の日本で光の国だよ、みんなで発展させていこうね、韓国はディープステートに支配された闇の国で、敵国だよ、警戒してね、ということを、言い方を変えて、日本国民に伝えていたと考えられます。

当時は共産主義が、インテリ層を中心にもてはやされていましたので、その流れに乗せて、国交のない北朝鮮との間の交流を促進する方策だったのですね。

さすがに地上の楽園は言い過ぎかもしれませんが、当時の韓国は経済不振にあえぎ、日本も朝鮮戦争特需以前は、経済的に低迷していました。

そのなかで、第二次世界大戦中に日本が残したインフラに恵まれた北朝鮮は、順調に経済発展を遂げていましたので、北朝鮮を新天地として扱うのはあながちうそではなかったとも言えます。

朝鮮戦争の褒章

さて、朝鮮戦争が日本を守る戦いであり、これによって、韓国の日本侵略が阻まれ、特需によって日本経済が復興したことはすでに述べました。

日本はこれだけのことをやってくれた北朝鮮に、当然お礼をすることになります。といっても、建前上は国交がありませんし、北朝鮮が第２の日本であることは秘密にされていましたので、まさか、北朝鮮に対して「韓国に攻め込んでくれてありがとう」と言って、お金を渡すわけにはいきません。

まずは、北朝鮮に対する人道援助という形で、国家間の援助が行われました。あとは日本国内の北朝鮮出身者に対する各種の優遇政策がとられました。

北朝鮮出身者は日本国籍は持ちませんが、特別な形の永住権が与えられ、日本国内に永住することが認められました。また原則として、生活保護が無条件に支給され、国内での生活が支援されるようになりました。

現在でも、北朝鮮出身者が生活保護を申請すると、その場で申請が通ってしまうのは、この密約が現在においても有効であるからです。

これは日本が身動きできないときに、300万人もの犠牲者を出しながら、韓国の侵略から、対馬・壱岐および九州を守ってくれた、北朝鮮に対する、日本国からのささやかなお礼なのです。

北朝鮮に割譲された3つの職種

また、日本で暮らす北朝鮮人たちのために、3つの職種が用意されました。

その3つとは、プロスポーツ、芸能界、およびパチンコです。

これらは3つとも、当時は社会のアウトサイダーたちが従事する職種と言われていました。これを北朝鮮の人たちにやってもらおうという企画です。

プロスポーツが隆盛を極め、芸能人が花形職業になり、パチンコ屋が全国の駅前を占拠するのは、これより20～30年後の話です。

プロスポーツ

現在は様々な分野のプロスポーツが存在し、人気を分け合っていますが、当時のプロスポーツは2つしかありません。プロレスと野球です。

日本のプロレスは、在日朝鮮人である、写真の人物によって、人気が爆発し、この人物の弟子たちによって、受け継がれていきます。

力道山

プロ野球については、朝鮮人だけではなく、韓国人や中国人、台湾人の方も大活躍していますね。

芸能界

北朝鮮出身者は、歌手や、俳優・女優として活躍しました。これは事情を知っている電通の後押しによって、徹底的に行われました。

というわけで、この時代の芸能人は、ほぼ朝鮮人です。

現在でも、歌手や俳優・女優やテレビタレントのうち70～80％が朝鮮人であるのは、こういう事情があるからです。

パチンコ

パチンコは、現在のところ、日本国内で公然と行われているギャンブルとなっています。これも元はといえば、日本に残る北朝鮮人の生活の糧として、割譲された分野です。

もちろん警察は、この事情を知っていますので、賭博法に違反するシステムでありながら、取り締まることはありません。

韓国の背乗り

問題は、このような一連の、日本による北朝鮮支援のシステムに、韓国が背乗りを仕掛けてきたことです。

彼らに言わせると、「北朝鮮と韓国は、同じ民族で同胞だ。どちらももともと日本の一部だったはずだ。北朝鮮に優遇措置を認めて韓国に認めないのは差別だ」ということのようです。

まてまてまて。そもそもお前たち韓国が、日本が動けないのをいいことに、侵略して領土をかすめ取ろうとしたのが、事の発端だろう。お前たちの侵略から守ってくれたお礼に決めた優遇措置を、お前たちがかすめ取ろうなんて、盗人猛々しいにもほどがある。そもそもお前たちは母国韓国があるんだから、生活保障は母国に頼め。

ということなんですが、真相を隠さなければならなかった日本政府は、有効な反論をすることができませんでした。

その後、80年代からのマスコミの報道姿勢の転換（次の項で詳述）によって、世論の後押しを受けた韓国は、まんまと北朝鮮への優遇措置の半分をかすめ取ることに成功してしまいます。

さらには中国もこの分野に割り込んできて、中国人にも生活保護が支給され、在日中国人がプロスポーツや芸能界で活躍するようになります。

結局何が何だかわからないままに、第2の日本、北朝鮮を支援し、その軍事的功績に報いるためのシステムは、韓国・中国のディープステートたちの私腹を肥やさせる、強奪システムへと、変貌を遂げてしまったわけです。

北朝鮮の真実６

電通の果たした陰の役割とは？
拉致問題の発生原因とは何か

残置諜者が電通に集結

残置諜者たちは、ほとんどの場合、日本を離れた他国において、その国の人間に成りすまして生活していました。

しかし、少数ながら、日本本国に帰還し、アメリカによって占領された日本国内で、国家の復興を胸に抱き、活動していた人たちもいました。

そのような、日本国内に残る残置諜者たちが、多数集まり、本拠地としていたのが、電通です。

電通は、設立自体は1901年と古いのですが、初期のころは「日本電報通信社」という社名で、通信社として活動していました。広告は余興という感じです。

その後、第二次世界大戦前の1936年、通信社業務を切り離し、広告代理店となります。

終戦時点では、細々と、国内で広告代理店業務を続けていました。このとき、常務取締役で、47年に第4代社長に就任した、吉田秀雄という人物が、電通を巨大企業へと育て上げていきます。

高橋まつりさん過労死事件で有名になった、電通の「鬼十則」を作った人物ですね。この吉田秀雄が、日本における残置諜者の取りまとめ役、すなわち「上忍」です。

吉田は、戦前、戦中に培った人脈を駆使して、電通にかつての南満州鉄道の経営陣・調査部員、満州国通信社の経営陣などを大量に受け入れていきます。

南満州鉄道調査部は、大日本帝国陸軍諜報部満州支所とほぼ同じ組織です。満州国は建前上は独立国だったので、さすがに外国である日本の陸軍が直接オフィスを構えることはできず、ここを隠れ蓑にしていたわけです。

銀座7丁目電通本社ビル

ここを拠点に陸軍は諜報活動を行い、官僚であった岸信介の指揮の下で満州における麻薬の密売を行って、日本統治の資金を稼いでいたのですね。

この満州において諜報活動を行っていたかつての陸軍のスパイたちが、総勢24人、電通に集結しました。吉田本人も入れると、実に当時の社員352人中25人が、残置諜者という、すごい集団です。

当時銀座にあった電通本社は「第2満鉄ビル」と呼ばれるようになりました。GHQに解体されたはずの、大日本帝国陸軍諜報部が、銀座に移転し、再び活動を開始したイメージでしょうか。

電通の隠された役割

電通は、残置諜者の本国日本における取りまとめ役として、様々な陰の役割を実行していました。

まずは北朝鮮における核開発の支援です。北朝鮮で核開発に携わっていた日本人の技術者たちの多くは、かつての南満州鉄道の技術者たちです。電通経営陣にとっては、かつての自分の部下たちですね。当然、全員顔見知りです。

技術者たちから必要な物資と、必要な人材を聞き出し、日本国内で手配して、帰還船に載せて送り届ける、という核開発支援の役割です。

あとは東南アジア各地にちらばる残置諜者への支援です。北朝鮮経由で要望を聞き、資金と物資を調達して北朝鮮に送り、そこからアジア各地に送られるというシステムです。

各国で独立運動が開始されると、資金と物資を支援し、各国に残る陸軍の残党をその国に送って、独立軍に紛れ込ませる、独立支援活動です。

あとは、鎖国状態にある北朝鮮へ、日本国内に残る在日朝鮮人からの資金と物資を送り届け、必要な人材を日本から北朝鮮へと送り届ける、北朝鮮の国家運営への支援も行っていたようです。

さらには、マスコミを操作して、残置諜者たちに有利なように、日本国内の世論を操作する仕事です。すでに述べた、北朝鮮を「地上の楽園」として宣伝して、日本からたくさんの移住者を送り込む、というような仕事ですね。

こちらは、電通にとってはまさに本業なので、お茶の子さいさい、といったところです。

この時代の電通は、世界各地に広がる残置諜者網における、扇の要の役割を果たしていたといえるでしょう。

電通に迫るディープステートの魔の手

しかし、電通の内部には、着々とディープステートの魔の手が伸びていきました。電通に集結した残置諜者たちは、普段は広告代理店の業務を行っていました。彼らはこの業界は初めてでしたが、もともと基本的な仕事能力が違うので、電通はあっという間に成長し、日本の広告代理店の覇権を握ってしまいます。

会社はすさまじい勢いで巨大化し、終戦から10年後の1955年には、社員数2282名の大会社になっています。

これは相対的に、会社内の残置諜者の比率が低下していくことを意味します。折から始まった高度経済成長に乗って、マスコミの広告料は増大し、電通の利益はうなぎのぼりに上昇し、社員の給料が増えていきます。

高給をもらった社員たちの中には、享楽的な生活をする者が増えていき、ディープステートの誘いに乗って、闇落ちする者が続出します。

会社の方針も、徹底的な利益追求型に変わっていき、残置諜者のストイックな感覚とだんだん合わなくなっていきます。

63年には吉田秀雄が死去し、65年には、かつての岸信介の右腕として満州の麻薬密売組織を切り回し、「アヘン王」と呼ばれた、里見甫（はじめ）が死去、68年にはかつての『満洲日日新聞』社長で、満州における陸軍の広報を務めていた、松本豊三が死去するなど、電通に集結していた大物残置諜者たちが、次々とこの世を去っていきます。

結局当初は25人いた残置諜者たちは、死亡したり、会社を去ったりして、どんどん数が減っていきました。それとともに、電通の果たしていた陰の役割はどんどん低下していきます。

結局74年の時点で、電通にいた残置諜者たちは、すべて死去するか、会社を去ることになり、電通の残置諜者支援機関としての役割が停止してしまいます。

ここから先、81年までの電通は、単なる広告会社となります。

拉致事件？の発生

電通が陰の役割を停止したことにより、世界各地に残る残置諜者たちへの、本国からの補給が途絶えました。中でも一番困ったのは、もちろん北朝鮮です。

資金や物資はまだ、わずかに残った帰還船や、北朝鮮が所有する万景峰号などで送り続けることができたのですが、一番困ったのは人材です。

それまでは、日本国内の人脈を使って、電通経営陣が人を見繕い、移住させてくれていたわけですが、これができなくなった以上、北朝鮮の側から日本国内の人物をヘッドハントするしかありません。

しかし北朝鮮は、日本の国情をよく知りませんので、例えば情報通信分野の技術者が欲しい、となったときに、日本国内で誰がその技術を持っているかの判定ができないわけです。

というわけで、とりあえず、迎えの人物を派遣して、在日朝鮮人からの情報を頼りに、該当する人物を探し出し、その人物に頼み込んで、北朝鮮へと移住してもらうことになりました。

この北朝鮮による人材のヘッドハントは、主に1977年から78年にかけて行われ、およそ17人の各方面における人材が、北朝鮮と相談して、納得ずくで、北朝鮮に渡航しています。

彼らは北朝鮮で、厚遇を受け、自らの意志で北朝鮮の発展に尽力しました。

しかし、後に述べるある事件がきっかけとなり、彼らは自らの意志に反して北朝鮮に連れ去られ、強制労働させられたことにされてしまいます。

これが、後に北朝鮮による「日本人拉致事件」と呼ばれることになるのです。

電通の陥落

80年代に入ると、電通の上層部はほぼ全員ディープステートメンバーとなり、電通に操られた日本のマスコミは、完全にディープステートの広報機関となりました。

この、電通の陥落を象徴する事件が、81年に行われた、電通とアメリカの広告会社、ヤング&ルビカムとの合弁会社の設立です。

ヤング&ルビカム自体は世界第10位の広告代理店ですが、この会社は世界1位の広告会社、イギリスのWWPグループの傘下です。

WWPはロンドンのシティにあって、ディープステートによる、世界中のマスコミの情報操作の司令塔となっている会社です。

この時点で、電通は、ヤング&ルビカムとともに、WWPの支配下に入った、すなわち、ディープステートの広告塔の一部となった、という意味です。

これ以降、日本のマスコミの論調は一変しました。

かつて「地上の楽園」と言われた北朝鮮は、金一族の独裁制下にあって、恐怖政治が行われている国家とされ、一方で韓国は、民主的で、友好的な国であるということになりました。

さらには、従軍慰安婦問題、靖国神社参拝問題、歴史教科書問題などの、それまでほとんど問題とされていなかった問題が、続々と、マスコミによって捏造(ねつぞう)され、そのたびに、政府は中国・韓国に謝罪を繰り返し、賠償金を支払うようになっていきます。

かくして電通は、光の拠点から、一気に闇の司令塔に転落するという、歴史上、類を見ない変貌を遂げた組織となったのでした。

「扇の要」電通の陥落は、日本国と北朝鮮、およびその他の東南アジア諸国にとって、計り知れない損害を与えた事件であったと言えます。

レプタリアン芸能人の進出

余談ですが、電通の陥落後、闇の司令塔となった電通によって、レプタリアンが次々と、芸能界に進出していきます。

その先駆けとなったのは、ちょうど同時期にアイドルとしてデビューした、あの人物です。

彼女は、福岡県久留米市の庄屋の家系で、一族に代々伝わる、ハイブリッドのレプタリアンです。

シェイプチェンジして、瞳が縦長になるシーンがいくつも残されていますね。

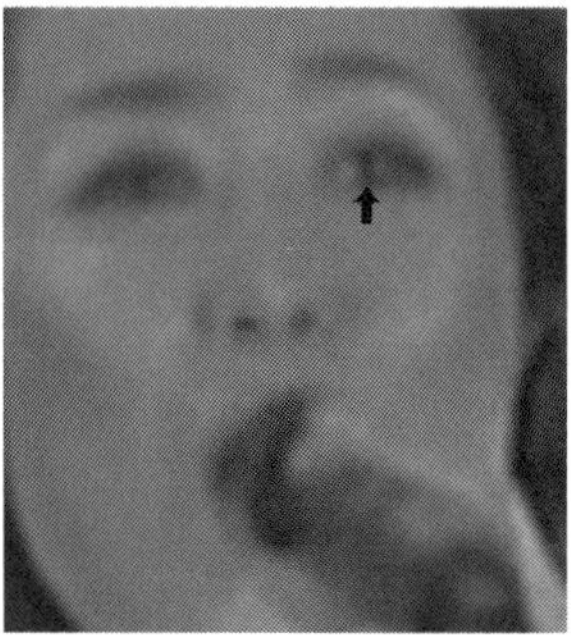
レプタリアン

この方は自らがレプタリアンであることを公言しています。ラジオの番組で、

「〇〇さんは、レプタリアンだという噂がありますが」と聞かれた時に、

「そうなんですよ〜。でも私なんかまだまだ下っ端です。上にはもっとすごい方がたくさんいますよ」

と、答えたというエピソードは有名ですが、これ以外でも随所に、レプタリアンネタを振って、笑いを取っています。

自らがレプタリアンであることを、まったく隠すつもりがない、というのが、他のレプタリアンとまったく異なる、この方の特徴であると言えます。

ともあれ、これ以降、芸能界には、多数の、純血種およびハイブリッドのレプタリアンが進出していくことになります。

横田めぐみさんは金正恩の母親だった⁉拉致問題をめぐる謎①

横田めぐみさんのその後

いよいよ北朝鮮による日本人拉致事件を考察してみたいと思います。

事件のあらまし、および、事件化に至った経緯については、後述するとして、まずは拉致被害者の一人、横田めぐみさんについて考察していきましょう。

なぜ横田めぐみさんを特別扱いするのか、それは拉致被害者17人のうち、彼女一人だけが特別な存在だったからです。

なぜそんなことがわかるのか、それはもちろん「北朝鮮が教えてくれた」からです。

メッセージに含まれた暗号

とはいっても、別に北朝鮮が公式発表を行って、「横田めぐみさんは〇〇している」

という真実を教えてくれたわけではありません。

そもそも北朝鮮と日本の関係自体が秘密とされておりますし、当時の国際情勢の下ではとてもそんなことはできません。

しかし、北朝鮮の側としては、北朝鮮国内がどうなっているのか、金王朝が日本とどのようなつながりがあるのか、について、日本の人たちにひそかに真実を伝えたいと切望しています。

そのため、北朝鮮は、公開されるわずかな情報の中に、陰のメッセージを組み込み、暗号として、日本に真実を伝える方法をとったのです。

これは２００２年の小泉首相（当時）の北朝鮮訪問直後から行われ、２０１４年から17年の間に、最も多くの情報が開示されました。

この開示された情報に含まれた暗号を受け取り、解読に成功した方々は、２０１７年の時点で、真相を把握していたということです。

それでは時を少しさかのぼり、読者のみなさんとご一緒に、暗号を解読していくことにいたしましょう。

発表された消息

横田めぐみさんは、横田滋、早紀江夫妻の長女で、新潟県新潟市に暮らしていました。当時13歳だった1977年、バドミントン部の練習が終わり、帰宅中に、北朝鮮の工作員に拉致され、北朝鮮に連れていかれたとされています。

2002年9月の小泉純一郎首相（当時）の北朝鮮訪問の際、めぐみさんは北朝鮮で金英男という男性と結婚し、その後、1993年3月に死亡したと告げられます。そしてこの金英男という人物と写した写真が2枚、小泉首相に手渡されました。

横田めぐみさん当時13歳

金正日の渡した写真

左が金英男さん、右の女性が20代のころのめぐみさん

まずはこの時手渡された写真が、北朝鮮からの第1のメッセージです。まず一枚目は上の写真です。左が金英男さん、右の女性が20代のころのめぐみさんのようです。

とりあえず2人の足元にご注目ください。なんと、影がありません。左の植え込みの植物にはちゃんと影ができていますね。

遠近感も明らかにおかしいですね。奥の建物に比較して、2人の身長が巨大すぎます。

これは見た瞬間にわかるはめ込み合成写真ですね。手渡されたもう一枚の写真も、見た瞬間にわかる合成写真でした。

なんで北朝鮮は、こんな見え見えの合成写真を渡してきたのでしょうか。

この後の流れも踏まえて考えると、これは北朝鮮からのメッセージと思われます。

つまり、めぐみさんは結婚してその後死亡しました、と言いながら、うそ写真2枚を渡すことで、まずは「それはうそだよ〜、真相は、考えてみてね〜」というメッセージを託したものと考えられます。

キム・ヘギョンさんとの面会

2006年、それまで横田めぐみさんの娘であると伝えられていた、キム・ヘギョンさん当時13歳が、来日し、横田邸で横田夫妻との面会を果たしました。

左は横田邸におけるキム・ヘギョンさんの写真です。この面会の模様はテレビで大きく報道され、横田夫妻がヘギョンさんにおもちゃをあげるシーンや、13歳という、めぐみさんがいなくなった時と同じ年齢のヘギョンさんに対して、「めぐみが帰って

キム・ヘギョン当時13歳

きたようです」と述べる、横田滋さんの言葉などが、テレビで流されましたね。

その後、ヘギョンさんのDNA鑑定が行われ、めぐみさんとヘギョンさんが親子関係である確率が、99・997%となったのを受けて、横田夫妻が記者会見を開き、

「100%とどう違うんだと申し上げました。今までは横田めぐみの娘と思われるキム・ヘギョンでしたが、これからは、横田めぐみの娘、キム・ヘギョンでお願いします」

と述べたシーンがテレビで報道されましたね。

ウランバートル面会事件

その後、2014年、3月10~14日の間に、横田夫妻はモンゴルの首都、ウランバ

ートルに赴き、「キム・ウンギョン」さんと面会します。

その直後に、北朝鮮側から、上の2枚の写真が公開されます。

この写真こそが、北朝鮮からの第2の、そして決定的なメッセージです。

ネットで、ウランバートル、キム・ウンギョンで検索してみてください。様々な情報が交錯しています。

これらは、この写真に込められた意味を隠蔽（いんぺい）するために行われた工作の跡です。特に下の1枚は、この写真の意味が正確に伝わってしまうと、日本政府、マスコミ、被害者の会がついてきたうそがすべてばれてしまう、致命的な一撃となります。

二転三転する政府発表

まずは、この面会はモンゴルの首都、ウランバートルにある、モンゴル政府の迎賓館で行われました。事前に通知は一切されず、報道陣も入室を許されていません。

つまり、面会自体が、秘密裏に行われ、政府は面会の事実を発表するつもりがなかったということです。

しかし、面会直後にまず、１枚目の写真が流出しました。そこで３月17日になって、外務省は慌てて、この面会の事実を公表します。

その時は、横田夫妻が抱いている幼児がキム・ウンギョンで、横田夫妻はひ孫に会えてうれしかったと述べた、ということになっています。

その後、２枚目の写真が流出します。そこで政府は、実は左の女性はキム・ヘギョンであり、この幼児の母親であると言い出します。

でもキム・ヘギョンは来日した２００６年の時点で、13歳であり、その８年後ですから21歳ですよね？　この女性そんなに若いでしょうか？

これを受けて政府はさらに、めぐみさんは北朝鮮に渡ったのち、１９８６年にキム・ヘギョンさんを出産し、この女性は28歳になったキム・ヘギョンさんであり、その子供が幼児であるキム・ウンギョンさんだと言い出します。

では、２００６年に来日した13歳のヘギョンさんはいったい誰でしょうか？　計算が合いませんね。

挙句の果てに、86年に生まれたのはキム・ウンギョンさんで、この女性はヘギョンさんではなく、ウンギョンさんだ、と言い出します。

じゃあ、この幼児は誰なのでしょうか？

最後には、ヘギョンはウンギョンの間違いで、ヘギョンさんは存在せず、正式にはウンギョンという名前だったと言い始めます。

そしてこのウランバートルでの面会が、孫との初面会だった、として、２００６年のヘギョンさんの来日をなかったことにしてしまいました。そんなばかな。

現在ネットで検索すると、２００６年の横田邸での面会が一切出てきません。つじつまを合わせるためのネット工作が行われたとみられます。

まさに一度うそをついてしまうと、うそにうそを重ねなければならない、の典型のようです。

しかし、どう取り繕っても、矛盾しているのはおわかりですね。この矛盾したそれぞれの段階の説がネットに氾濫しているので、何が何だかわからない状況になっているというわけです。

この重ねられたうその数々は、すべて、2枚目の左の女性が誰なのか、を隠すために行われたものであると思われます。

ウランバートル事件の真実

しかし真実は常にシンプルです。政府がうそにうそを重ねながらつじつまを合わせようとしても、どこかで矛盾が生じてしまいましたが、一切矛盾が生じない解釈が一つだけあります。それが真実だということです。

2006年に来日した13歳の少女が、キム・ヘギョンさんです。モンゴル迎賓館で、横田夫妻が抱いている少女がキム・ウンギョンさんです。

では2枚目の写真で、早紀江さんの横にいて、親しそうに肩を抱いている女性はいったい誰でしょうか。顔のつくりから明らかに親族ですね。それも昔からよく知っている人物のようです。

そう、この女性こそが、13歳の時に日本を離れ、当時49歳となった、横田夫妻の長女、横田めぐみさん、その人なのです。

北朝鮮からのメッセージ

この写真を流出させたことによる北朝鮮からのメッセージその1は、もちろん、

「横田めぐみさんは生きているよ〜」です。

もう一つは、横田夫妻がめぐみさんとひそかに面会していたことを暴露することによって、

「拉致事件はうそだよ〜」ということを、日本政府が日本国民に伝えたというわけで

す。

まあ、いずれにせよ、この写真が流出した時点で、横田夫妻の主張は破綻していると考えていいでしょう。

めぐみさんの北朝鮮での立場

というわけで、横田めぐみさんは生きていて、ひそかに両親とも会っていることが明らかになったわけですが、それではめぐみさんは北朝鮮でどのような立場で、何をしているのでしょうか？

これについても北朝鮮が、答えを示してくれています。

北朝鮮は、2015年の朝鮮労働党創建70周年式典の際、指導者である金正恩が、身ごもった際の記念式典の写真を公開しました。それが次頁です。

真ん中にいるサングラスをかけて帽子をかぶった人物が、当時の最高指導者で、金正恩の父である、金正日です。

周りに親族の男性と、奥に後宮の女性が控えています。そして前列に並ぶ5人の女性が、金正日の妻たちです。

金正日には5人の妻がいるとされてきましたが、その全員の顔が公開されたのはこれが初めてです。

前列右から2人目の女性にご注目ください。北朝鮮の発表ではこの人物は、第3夫人の高容姫（コヨンヒ）です。

これ、めぐみさんですよね？

1984年の写真ですから、当時20歳でしょうか。なかなか美しい王妃様です。

北朝鮮からのメッセージはもちろん、

「横田めぐみさんは金正日の妻の一人だよ～」です。

ということで、横田めぐみさんはなんと、金正日の5人の妻の一人に数えられていたということがわかりました。

金正恩の母親は？

残る問題は、金正恩の母親が、この5人のうちのいったい誰なのか、ということです。

北朝鮮の公式発表で、金正恩の母親とされているのは、第2夫人の高英姫です。上の人物ですね。

さらに、金正恩の回想として、母は、日本生まれで、日本人と朝鮮人のハーフである、と語られています。

この高英姫は、大阪の在日朝鮮人女性の娘で、北朝鮮に渡り、喜び組に入隊して、そこで見初められて、金正日の妻となりました。金正日からは、日本名で「あゆみ」と呼ばれていたそうです。

これらの情報から、高英姫の父親は日本人なんだろう

第2夫人の高英姫

な、と思われていました。

そして2017年、北朝鮮の高官が謎の発表を行います。それは、「金正日夫人の高英姫の父親は、日本のプロレスラー大同山又道である」というものです。なんでこの時期にこれを単独で発表するのか、と不思議に思った方が多かったようですが、これが実は北朝鮮からの最後のメッセージ、パズルの最後のピースです。

大同山は、もともと柔術家で、その後プロレスに転向し、日本のプロレスの草創期を作った人物です。力道山の1世代前の方ですね。

有名人なので、当然系図が残っています。両親ともに朝鮮人です。

つまり、高英姫は、両親ともに朝鮮人であり、金正恩自身が言った「母は日本人と朝鮮人のハーフ」の条件に当てはまらないことになります。

しかし、金正日の5人の妻のうち、この条件に当てはまる人物が一人だけ残っていますね。

それはもちろん、日本で生まれ、日本人の父滋さんと、朝鮮人の母早紀江さんの間に生まれた、横田めぐみさんです。

北朝鮮からのこの謎の政府高官発表は、
「金正恩の母親は、横田めぐみさんだよ～」というメッセージだったのです。

北朝鮮の真実８

横田めぐみさんは金正恩の母親だった!?拉致問題をめぐる謎②

早紀江さんの血統

それでは、なぜ横田めぐみさんは、北朝鮮に渡航し、金正日の妻となり、金正恩を産むことになったのでしょうか。

2017年以降、横田めぐみさんが金正恩の母である、という説がネット上を席巻し、それに応じて、横田家の人々の近親者や、友人などからの情報リークが相次ぎました。

それらを総合すると、めぐみさんが北朝鮮に渡航するに至った最大の原因は、母である横田早紀江さんの血統にあったようです。

李王家の末裔

朝鮮半島は、１３９２年から１８９７年まで、長きにわたり、李氏朝鮮が治めていました。李氏朝鮮は、代々李家が王位を世襲し、清の属国となっていました。１８９４〜95年に行われた、日清戦争によって、日本の力で朝鮮は清から独立を果たし、大韓帝国が成立します。

大韓帝国は、李氏朝鮮の王族であった李家の当主がそのまま皇帝を務めました。初代皇帝は、李氏朝鮮最後の王であった、高宗です。

１９０７年、高宗は退位し、息子の純宗（李坧）に皇位を譲ります。この時、純宗の弟である李垠が皇太子となります。

１９０９年、伊藤博文が暗殺され、翌１９１０年、大韓帝国は大日本帝国に併合されます。朝鮮半島は、大日本帝国の領土の一部となったわけです。

大韓帝国は消滅し、皇帝はいなくなりましたが、李家の一族は、日本に迎え入れられ、準皇族としての待遇を受けます。

日本では天皇の直系男子は親王、それ以外の皇族男子は王と呼ばれますが、李家の人々はこの王の称号を与えられ、李王家が新設されました。

高宗は特別に太王の称号を与えられ、純宗と李垠には、王の称号が与えられました。

東京赤坂に李王家の邸宅が作られ、3人は東京に住むことになりました。

この李王家の邸宅は、第二次世界大戦後に李王家の廃絶とともに取り壊され、跡地に赤坂プリンスホテルが建設されることになります。

梨本宮方子女王の結婚

日本は、日韓融和の証として、この李王家と日本の皇族との結婚を進めていきました。その一環として、1920年日本の皇族、梨本宮方子(なしもとのみやまさこ)女王と、李王家の李垠(りぎん)王の婚儀が行われました。

梨本宮方子女王は、一時は裕仁皇太子(のちの昭和天皇)の妃の第1候補として、名前が挙がったこともある人物です。

李垠は、陸軍士官学校を卒業し、陸軍軍人としての人生を歩みます。1945年の終戦時には、陸軍中将にまでのぼり詰めていました。

終戦後、李王朝が廃絶され、陸軍将官であった李垠は、公職追放処分を受けてしまいます。朝鮮への帰国も果たせず、李垠・方子夫妻は、日本において一般の在日朝鮮人夫婦として生活することを余儀なくされます。

1963年の日韓国交正常化で、朝鮮半島への帰還を果たしますが、李垠はその7年後、1970年にソウルで死去します。

2人の子供については、男の子は李晋（1921〜22）、李玖（りきゅう）（1931〜2005）の2人が記録に残っていますが、女の子については記録が残されていません。

しかし、この2人の間に、1936年に女の子が生まれていて、それが李早紀江さんだということです。

この李早紀江さんが、1963年、横田滋さんと結婚して、横田早紀江さんとなり、翌64年、めぐみさんを生んだということのようです。

私もこの情報は最初は半信半疑でしたが、上の2人の写真を見比べてみると、合点が行きます。

左が、晩年の梨本宮方子女王、右が横田早紀江さんで

晩年の梨本宮方子女王

横田早紀江

す。

これはもう、似ているを通り越して、同一人物であると言っても通用するレベルなのではないでしょうか。

横田めぐみさんは、金王朝の皇后として招聘された

もう一度、情報を整理してみましょう。

次の頁の系図をご覧ください。横田めぐみさんの母、早紀江さんは、日本の天皇家、および、朝鮮の李王家の両方の血を引いていることがわかります。

この血は、娘のめぐみさんにもそのまま流れています。

そして、そのめぐみさんの血を引いた指導者が、金正恩です。

2011年12月17日、金王朝2代目の指導者、金正日が死去しました。金正恩は、この2日後、12月19日の金正日死去の発表と同時に、次期指導者として報道されました。

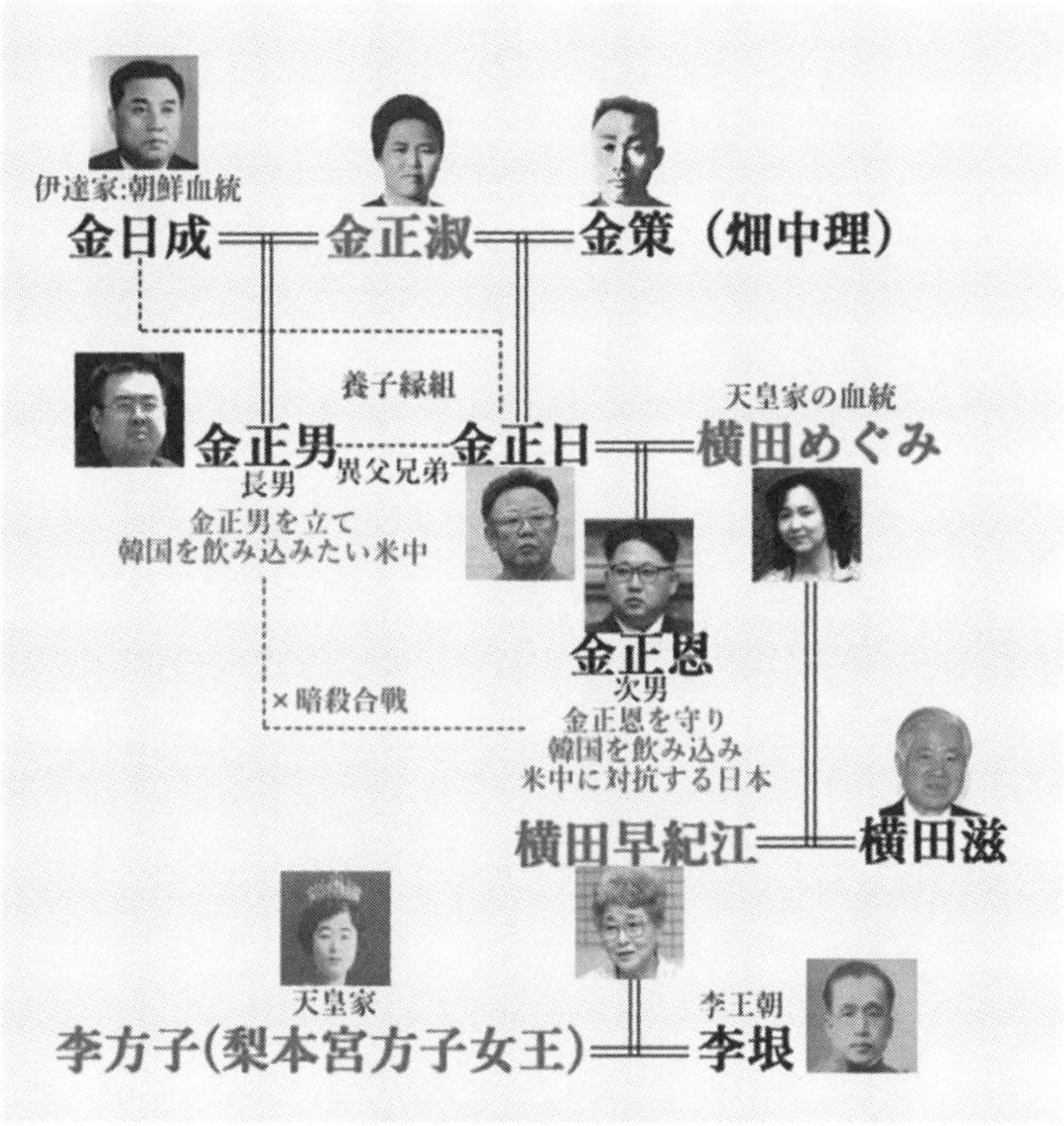
伊達家:朝鮮血統
金日成
金正淑
金策（畑中理）
養子縁組
天皇家の血統
金正男
金正日
横田めぐみ
長男
異父兄弟
金正男を立て
韓国を飲み込みたい米中
金正恩
次男
×暗殺合戦
金正恩を守り
韓国を飲み込み
米中に対抗する日本
横田早紀江
横田滋
天皇家
李王朝
李方子（梨本宮方子女王）
李垠

金正恩

この後継指導者としての決定の異常な速さは、金正恩の指導者就任に反対する勢力がまったくなかったことを示しています。

それはそうです。金正恩は、由緒ある朝鮮の王家である、李家の血を引いています。さらには父親が、北朝鮮の建国者、畑中理の息子であり、さらには横田めぐみさんを通じて、日本の皇族の血も引いているのです。

北朝鮮を建国し、統治している旧日本軍の残置諜者にとっても、統治されている新羅系韓族にとっても、ともに王族の血を引いているわけです。

北朝鮮の統治者として、これほど望ましい血統はほかに考えられません。誰が彼の即位に反対することができるでしょうか。

金王朝の血統は、3代目、金正恩において、完成を見たということができます。

そして横田めぐみさんは、金王朝の血統を完成させるため、金王朝の皇后陛下として、白羽の矢を立てられ、北朝鮮に丁重に迎え入れられたのです。

拉致問題成立の経緯

さて、少し時間をさかのぼって、そもそも問題視されていなかった、この17人の人物のヘッドハント、北朝鮮への移住が、なぜ、北朝鮮による「日本人拉致事件」として、問題となったのかを考えてみましょう。

彼らの北朝鮮への移住が行われたのは、１９７７年から84年にかけてでした。この時は別に何の問題も起こっていなかったわけです。移住は合意の下で平和裏に行われ、日本、北朝鮮どちらも、問題が起きたという認識はありませんでした。

しかしこの平和な状態を、いきなりひっくり返してしまう大事件が発生します。

１９８７年に起きた、大韓航空機爆破事件です。

大韓航空機爆破事件の衝撃

87年11月29日、中東に出稼ぎに来ていた韓国人労働者を乗せた大韓航空858便が、バグダッドを発ち、アブダビ経由でタイのバンコクに向かう途中、ミャンマー上空で空中分解し、乗客乗員115名全員が死亡しました。

事件発生当時は、航空機の機体の不良が原因といわれていたのですが、調査が進むにつれて、爆弾テロであることが明らかになっていきました。

実行犯は北朝鮮の2人の工作員、金勝一と金賢姫です。

2人はバグダッドで858便に乗り込み、時限装置つきのプラスティック爆弾と液体爆弾が入った酒瓶を手荷物として持ち込み、手荷物を航空機のハットトラックに置いたまま、アブダビで降機しました。爆弾は時限装置によってミャンマー上空で爆発し、機体は空中分解したというわけです。

2人の工作員は偽造の日本国のパスポートを使用しており、事件発生前から当局にマークされていました。事件発生当日からバーレーンの首都・マナーマのホテルに宿泊し、30日午後、バーレーンからローマに向かう航空機に乗り込むところを、バーレーンの警察官および日本大使館職員に身柄を拘束されました。

2人はその場で服毒自殺を図ります。これによって金勝一は死亡しますが、金賢姫の方は一命を取りとめ、3日後に意識を取り戻します。

バーレーン警察の取り調べの後、金賢姫の身柄は韓国に引き渡されました。

韓国警察による金賢姫の取り調べの模様は、日本のマスコミでも連日報道されました。

金勝一と金賢姫は、北朝鮮の工作員で、翌1988年に行われるソウルオリンピックの妨害のために、韓国の信用を低下させることを意図して事件を起こしたことが明らかになります。

さらに、捜査の過程で、金賢姫が蜂谷真由美という名で日本人に成りすましていたこと、彼女に北朝鮮で日本語や日本文化や日本人の立ち居振る舞いを教えていたのが、「李恩恵（リウネ）」という女性であったこ

金賢姫

とがわかります。

この、李恩恵が日本人だったのではないか、ということになり、捜査が進められました。

金賢姫の供述を基に似顔絵が作られ、警察によって全国各地に「昭和55年以前に行方不明になったこの女性を知りませんか」というポスターが貼られました。

その後1991年になって、埼玉県警警備部の調べで「李恩恵」が1978年に行方不明となった田口八重子と同一人物ではないかと推定され、警察庁から2人の担当官がソウルへ行き、ソウル大使館政治部の警察庁出身の者を同行させ金賢姫と面会しました。

同年輩の女性の顔写真10枚ほどが準備されました。田口八重子の写真を混入し、「この中に教育に当たった女性がいるか」と金賢姫に示すと、1枚1枚写真を見ていた彼女は田口八重子の顔写真を見て、「この人です」と言ったということです。

ここでマスコミが、日本人である田口八重子さんが、北朝鮮に拉致されていた、と騒ぎ出し、ほかにも被害者がいるのではないか、と言い始めました。

それから77〜78年の間に行方不明となっていた人物が次々と見つかり、「17人の人物が北朝鮮に拉致された」と騒ぎ始めたというわけです。

韓国とマスコミによって作られた拉致事件

北朝鮮に納得ずくで渡航した日本人の家族は、渡航後、警察に捜索願を提出し、行方不明事件として処理していました。

当時日本と北朝鮮には正式な国交がなかったので、北朝鮮への渡航は、秘密にしないといけません。

しかしただ、何も処理せずいなくなると、後で大騒ぎになって面倒なので、いちおう捜索願を出し、当然見つかりませんので、行方不明扱いとなり、戸籍上の問題をクリアしていたというわけです。

マスコミは、ここにつけ込み、「捜索願が出ていた、誘拐だ〜」と騒ぎ、「北朝鮮の工作員による拉致に違いない」と騒ぎ立てました。

このマスコミによる大騒ぎの中で、遺族は、「実は〇〇は、北朝鮮に渡航したんですよ」とは言いだせなくなってしまい、そのままマスコミに同調します。

その後、日本政府から多額の補助金（次の項で詳述）を支給されることになり、いつのまにか被害者の会ができてマスコミにもてはやされるようになってしまい、後に引けなくなってしまったということです。

これはなかなか巧妙な、事件のでっち上げと思われます。

韓国としても、ディープステートに支配されたマスコミとしても、日本と北朝鮮の離間工作ができれば、ばんばんざいです。

結局、北朝鮮への納得ずくのヘッドハントは、いつのまにか、北朝鮮による日本人拉致事件として、一人歩きを始めてしまったのです。

北朝鮮の真実 9

日朝首脳会談の茶番。どっちが日本の味方なの!?

日朝首脳会談の開催

内閣総理大臣（当時）小泉純一郎、北朝鮮側は、国防委員長（当時）金正日

2002年9月17日、平壌の百花園招待所にて、日朝首脳会談が行われました。出席者は、日本側は、内閣総理大臣（当時）小泉純一郎、北朝鮮側は、国防委員長（当時）金正日です。

小泉首相の後ろに、会談に同席した安倍晋三氏の姿も映っていますね。

報道によると、

北朝鮮側は、日本人を拉致した事実を認め、謝罪した。日本側の安否確認に対して、北朝鮮側は地村保志、浜本富貴恵、蓮池薫、奥土祐木子の4人の生存を明らかにし、横田めぐみ、田口八重子、市川修一、増元るみ子、原敕晁(ただあき)、松木薫、石岡亨、有本恵子の8人を「死亡」と発表した。更に、日本側も把握していなかった曽我ひとみの拉致・生存と、横田めぐみの娘の生存も明らかにした。

となっています。この会談は、やはり日本政府の規制対象になっているようで、この時の報道の記事はすべてネット上から削除されているようです(みなさんも探してみてください)。政府はこれをなかったことにしたいようです。

参考までに、外務省の該当サイトのリンクを貼っておきましたので、ご参照ください。

拉致問題を巡る日朝間のやり取り　外務省
https://www.mofa.go.jp/mofaj/a_o/na/kp/page1w_000082.html

首脳会談の裏側

この日朝首脳会談は、日本側と北朝鮮側で、まったく異なった意味づけを持っていました。まずは、会談に至る経緯を見てみましょう。

前項で述べたように、拉致問題は、91年に初めて問題となりました。きっかけは、大韓航空機爆破事件の実行犯とされる、金賢姫が、自分に日本の習慣を教えたのが、かつて行方不明になっていた、田口八重子だと自供したからです。

しかしこれは、韓国国内における、韓国警察の捜査を基にしたものです。金賢姫自身が本当に実行犯だったのか、本当に田口八重子が教育官だったのかについては、様々な異論が残されています。

なにはともあれ、この自供に、日本のマスコミが群がり、単なるヘッドハントであった北朝鮮への移住を、北朝鮮による日本人の拉致として騒ぎ立て、「拉致事件」を創作していったわけです。

このころには、拉致被害者の会も発足し、移住者の遺族がマスコミに協力する形で、騒ぎは大きくなっていきました。

ディープステート支配下にあった、日本政府もこの騒ぎに便乗し、遺族に補助金を与え、マスコミの工作に協力していく形をとっていました。

ディープステート幹部の一人である、小泉純一郎氏は、国内におけるこの流れを決定的なものにし、日本国民と北朝鮮国民をいがみあわせ、両国の分断を決定的なものにするために、この会談を設定したものと思われます。

北朝鮮側は、拉致事件なんてまったく身に覚えがありません。単なる納得ずくの人材ヘッドハントですから。しかし北朝鮮側は、日本との国交樹立を切望していました。この国交樹立の契機として、史上初の日朝首脳会談に応じたというわけです。

日朝平壌宣言の欺瞞

結果として、この日朝首脳会談は、とんでもない茶番劇となりました。

まずは、平壌空港で、専用機から降り立った小泉純一郎首相を、金正日委員長自ら出迎え、握手を交わします。その時、金正日委員長が、小泉氏に言い放った一言は、

「お互い、外国人の指導者どうしが会談するとは、皮肉なものですね」

というものです。小泉氏は、苦笑いを浮かべていました。

これは、日本人である、北朝鮮の指導者金正日委員長と、朝鮮人である、日本の指導者小泉純一郎氏が、互いに会談することを、皮肉ったものと思われます。

会談自体は10分で終わり、あとは雑談と会食パーティーです。ついでに北朝鮮国内の観光も行って、2日間の日程の終わりに、すでに双方合意の下で用意されていた、日朝平壌宣言が発表されました。

原文は外務省のサイトにあります。短い宣言ですので、左のリンクから、ぜひ一度、目を通してみることをお勧めします。

日朝平壌宣言　外務省

https://www.mofa.go.jp/mofaj/kaidan/s_koi/n_korea_02/sengen.html

ご覧のように、平壌宣言では、「拉致事件」については、一言たりとも触れられていないのがおわかりになると思います。
これは双方の立場で、都合の良いように解釈できる、玉虫色の条文になっています。

日本の立場

まずは日本側は、この条文をどう解釈したかを見てみましょう。
平壌宣言における、拉致問題（?）についての言及と言われるのは、前文における、

両首脳は、日朝間の不幸な過去を清算し、懸案事項を解決し、実りある政治、経済、文化的関係を樹立することが、双方の基本利益に合致するとともに、地域の平和と安定に大きく寄与するものとなるとの共通の認識を確認した。

という記述と、第3章の、

3．双方は、国際法を遵守し、互いの安全を脅かす行動をとらないことを確認した。また、日本国民の生命と安全にかかわる懸案問題については、朝鮮民主主義人民共和国側は、日朝が不正常な関係にある中で生じたこのような遺憾な問題が今後再び生じることがないよう適切な措置をとることを確認した。

という記述だけです。この、「日本国民の生命と安全にかかわる懸案問題について」「このような遺憾な問題が今後再び生じることがないよう適切な措置をとることを確認した」という表現を、日本のマスコミは、「北朝鮮は拉致問題を認めて謝罪した」と解釈して報道しているわけです。

まず、「拉致問題」なんて一言も言ってませんし、謝罪の言葉なんて一言もありません。懸案問題は、ミサイル発射かもしれないし、公海上での漁船拿捕(だほ)かもしれません。それを気を付けると言っているだけですね。

私の読解力では、この表現から、拉致問題を認めて謝罪した、という結論を導くことはとてもできません。みなさんはどうでしょうか？

さらに注目すべきは、第2章の、

> 2. 日本側は、過去の植民地支配によって、朝鮮の人々に多大の損害と苦痛を与えたという歴史の事実を謙虚に受け止め、痛切な反省と心からのお詫びの気持ちを表明した。

という文言です。なんで拉致問題について文句を言っているはずの首相が、過去の植民地支配を謝罪しているのでしょうか。

この文章は、北朝鮮側が必要ないといったのにもかかわらず、小泉首相が絶対入れてくれ、と言ってねじ込んだ文章です。

小泉首相（と、背後にいるDS、韓国・中国勢力）は、何が何でも、第二次世界大戦において日本が悪事を働いたことにしておかないと都合が悪いので、こんなところに拉致問題とはまったく関係ない、謝罪文を忍び込ませているわけです。

北朝鮮は一言も謝罪を要求していないのに、なぜか日本が勝手に謝罪をしているわけですね。

北朝鮮の立場

北朝鮮にとっての日朝首脳会談の意義はもちろん第1章に、

1．双方は、この宣言に示された精神及び基本原則に従い、国交正常化を早期に実現させるため、あらゆる努力を傾注することとし、そのために2002年10月中に日朝国交正常化交渉を再開することとした。

双方は、相互の信頼関係に基づき、国交正常化の実現に至る過程においても、日朝間に存在する諸問題に誠意をもって取り組む強い決意を表明した。

と書かれています。日朝国交正常化ですね。

日朝間の問題を解決すると補足されていますが、**「日朝間に存在する諸問題」**の**「諸」にご注目ください。これはもちろん拉致問題ではなく、国交正常化に至る手続**

き上のいろいろな問題という意味に解釈するのが妥当でしょう。

北朝鮮は、もともと大日本帝国陸軍が創建した国ですので、日本と国交正常化を果たすのは、まさに建国の悲願であるわけです。あともう一つは、第2章の後半、

双方は、日本側が朝鮮民主主義人民共和国側に対して、国交正常化の後、双方が適切と考える期間にわたり、無償資金協力、低金利の長期借款供与及び国際機関を通じた人道主義的支援等の経済協力を実施し、また、民間経済活動を支援する見地から国際協力銀行等による融資、信用供与等が実施されることが、この宣言の精神に合致するとの基本認識の下、国交正常化交渉において、経済協力の具体的な規模と内容を誠実に協議することとした。

です。日本と国交正常化を果たしたうえに、補助金までもらえるのですから、北朝鮮にとってはまさに願ったり、叶ったりです。

拉致問題? そんなの知らないよ。だってそもそもそんな問題、存在してないじゃん、条文にも書いてないし、日本の国内のマスコミがでっち上げた問題だろ、そんな

のそっちの国内で対処してよ、ということです。

実際にこの日朝首脳会談について、北朝鮮国内では、「日本が我が国に、国交正常化を求めてきた。我が国は快くこれに応じた」と報道されており、拉致問題のらの字も報じられていません。

北朝鮮からの帰還者とは

では、この時北朝鮮から帰還した5人の人物は、いったい何だったのでしょうか？当時の小泉首相と金正日委員長の会話を再現してみましょう。

金「日本と朝鮮民主主義人民共和国との国交樹立を心から歓迎します」

小泉「どうもありがとう。ところで、日本から移住した人たちの件なんだけど、あの人たち、帰国させてくれないかな？　日本国内のマスコミがうるさくてさ」

金「困りましたね。あの方たちは皆、わが国で高い地位を占め、必要不可欠な方々です。一人は私の妻になってますしね」

小泉「そこをなんとか。俺の顔を立ててよ。何人か一時的に帰してくれるだけでいいからさ」

金「では、比較的役割が少ない人物を5人ほど一時帰国させましょう。5年間たったら、わが国に、返してくださいね」

小泉「わかった、わかった。ありがとう。あとの人たちは死んだことにしておけば、後は俺が何とかするよ」

なんてかたちで、金正日は、日本からの移住者を5人、5年間だけ一時帰国させるという提案を飲んだわけです。

しかし日本のマスコミは、「北朝鮮が拉致事件を認めた～。5人の拉致被害者を取り戻した～」と騒ぎ立てたわけですね。

もちろんこの5人は、日本に帰国したまま、5年たっても北朝鮮には帰っていません。

小泉首相としては、拉致被害者帰国の業績を上げたことになり、金正日委員長としては、日本が、移住者の一時帰国の約束を破った、と主張することができるわけです。

いずれにしても、キツネとタヌキの化かしあいですね。

北朝鮮の真実 10

北朝鮮のミサイル発射の真意は⁉ 北朝鮮は今も日本を守っている

北朝鮮によるミサイル発射

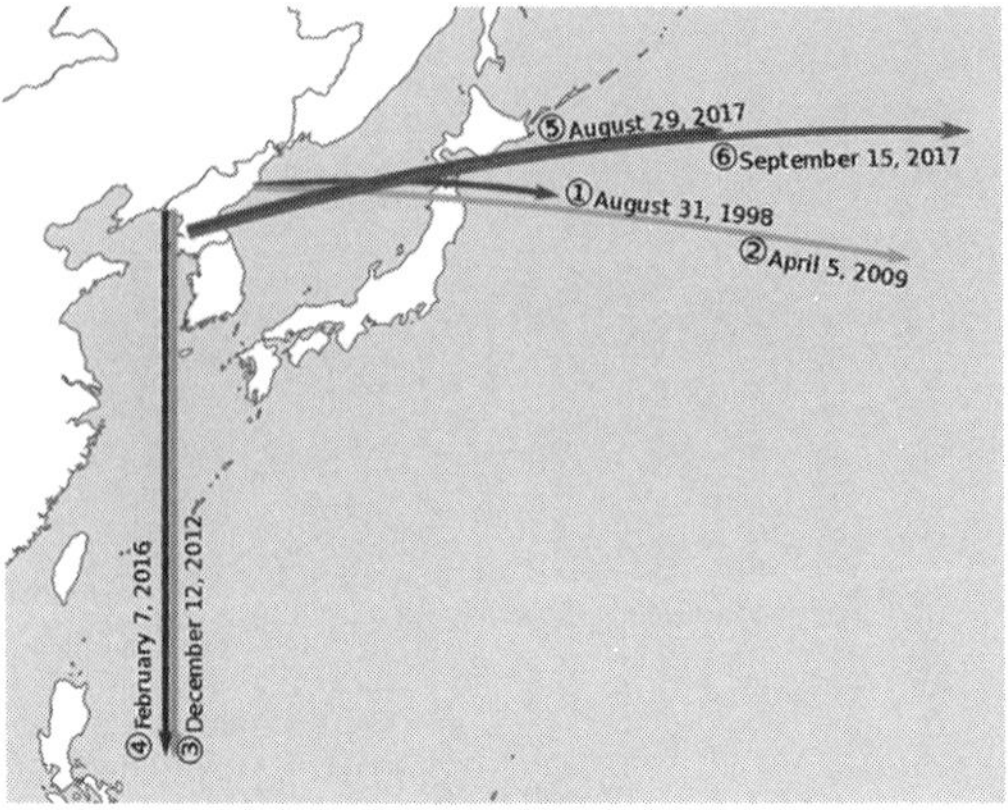

北朝鮮から発射されたミサイルの軌道

１９９０年代に入ると、北朝鮮による、日本海や黄海・太平洋へのミサイル発射が頻繁に行われるようになりました。

ミサイルの発射目的は、初期のころと、２０００年代に入って以降は大きく異なると思われます。

1990年代のミサイル

1990年代に北朝鮮は1993年と1998年の2回にわたり、ミサイルを発射しています。

1発目は1993年5月29日に発射され、日本海に着弾しました。その後、2発目は、1998年8月31日に発射され、こちらは津軽海峡付近の日本列島を通過し、太平洋に着弾しました。

ロケットの1段目が日本海に、2段目が太平洋に落下し、マスコミでも大きく取り上げられましたので、ご記憶の方も多いと思います。

この2発のミサイルの発射目的は、「日本へのメッセージ」です。

一つ目のメッセージは、「こっちはもう準備ができているよ」です。もう一つのメッセージは、「そっちもそろそろ目を覚ませよ」です。

何の準備ができているのでしょうか？　一つは、終戦直後から開発してきた核兵器が、もうできてるよ、というメッセージです。こちらは50年代にはすでに開発が終了していたのですが、一般の日本人は知りませんでした。それを日本人全体に知らせたということです。

そしてもう一つは、「第二次大東亜戦争」の準備が整ったよ、ということです。北朝鮮を建国した、残置諜者の悲願は、第二次世界大戦のスローガンであった、大東亜共栄圏の再構築です。

あの時は、本国日本がアメリカに占領され、その後植民地の独立を達成したものの、またもやアジア諸国は欧米の経済的収奪を受けるようになっています。

それを跳ね返し、大東亜共栄圏を再び実現するための、準備が整ったよ、ということです。

しかし日本は、自虐史観が横行し、中国・韓国による収奪が行われています。

この日本の現状を見て、「お前らそろそろ目を覚ませよ。俺たちがせっかく一生懸命やっているのに、肝心の本国が眠っててどうする」というメッセージを込めて、日本近海にミサイルを撃ち込んだというわけです。

ちなみに、北朝鮮製の核兵器とミサイルは、日本から渡航した優秀な技術者が開発しておりますので、狙いを外すことはありません。この2発は、わざと外して撃っているわけです。

日本本土にミサイルを命中させてしまっては、そもそも残置諜者にとっては元も子もありませんので。

2000年代のミサイル

その後8年間は何事もなく過ぎ去りました。しかし、2006年から、再び北朝鮮は、ミサイル発射を繰り返すようになります。

こちらは90年代とは異なり、毎年大量のミサイルを何度も打ち込むというスタイルになります。

2006年7月5日に日本海へ7発、2009年4月5日に太平洋へ1発、2012年は4月と12月に1発ずつ、2013年は5月18日から20日にかけて日本海へ合計6発、2014年は6月29日に日本海へ数発、2016年は2月7日に東シナ海へ1

発、2017年は2月から11月にかけて合計16発、2019年は4月から11月にかけて合計15発です。

これらのミサイル発射の目的は、1~2発の場合はミサイルの性能実験、何発も集中して打ち込む場合は、周辺諸国へのけん制です。

2006年と13年は、日本海に艦隊を展開する韓国軍の間近に大量のミサイルを着弾させ、これをけん制しています。

2012年と16年は、東シナ海に部隊を展開する中国艦隊の間近に打ち込み、行動をけん制しています。

2017年と19年は、太平洋上を大きく飛び越え、アメリカをけん制するとともに、日本海や黄海にも打ち込んで、韓国・中国をけん制しています。

2000年代の北朝鮮のミサイル発射は、日本の周辺諸国の軍事行動に脅しをかけるという、すでに実際の軍事目的に即した運用がなされているわけです。

これらはすべて、日本が動けない状態にあるときに、日本に代わって、日本近海を脅かす外国の艦隊に向けて行われているのがわかると思います。

アメリカについては、現在では日本の同盟国となっていますが、北朝鮮に残る残置諜者の感覚では、いまだに敵国です。

第二次世界大戦終戦直後の、アメリカに核ミサイルを撃ち込んでやる、という目標は、彼らの中で、いまだに生き続けているのです。

北朝鮮にとって、第二次大東亜戦争は、すでに始まっているのです。

延坪島砲撃事件

北朝鮮の軍事行動は、けん制だけではありません。日本が身動き取れない状態で、他国が侵攻しようとしたときには、朝鮮戦争の時と同じように、現代でもしっかり軍事行動を起こしてくれます。

それが、２０１０年11月23日に発生した、延坪島（ヨンピョン）砲撃事件です。

延坪島砲撃事件

悪夢の民主党政権

この事件が発生した時、日本の首相は民主党の菅直人が務めていました。

民主党政権は、「悪夢の民主党政権」と呼ばれています。何がいったい悪夢なのかというと、この政権の時代に、実際に日本国は、その領土を失う危機に何度も直面したからです。

2010年9月7日には、中国漁船衝突事件が発生します。菅政権はこの事件の真相を国民から隠そうとしましたが、海上保安庁職員、sengoku38こと、一色正春氏の勇気ある告発によって、事件の一部始終が国民に知られることになります。

しかし政府は、中国漁船の船長を釈放し、中国に身柄を引き渡してしまいます。この態度を見た周辺諸国が、一斉に日本の領土をかすめ取ろうと牙をむきます。

2012年にはロシアのメドベージェフ首相が北方領土に上陸し、韓国の李明博大統領が竹島に上陸し、ともに自国の領土として確定しようとします。

韓国・中国部隊の集結

このような流れの背景には、民主党政権が、まったく日本の国土を守る気がなかったということが挙げられます。

彼らは、骨の髄まで自虐史観に染まった人たちなので、日本が占領されれば好い気味だぐらいに思っていたのでしょう。

中国漁船衝突事件で、船長が中国へ送還された直後の、２０１０年10月20日、対馬侵攻を目指して、韓国軍が釜山に軍を集結させます。

中国においても、人民解放軍が、瀋陽軍区の北朝鮮との国境地帯に、30万の軍を集結させます。

この様子を衛星から監視していた米軍から、日本政府に連絡が入ります。しかし、菅直人首相（当時）は何もしませんでした。

米軍は、韓国軍に警告を発しますが、韓国軍はこれを無視し、中国軍とともに、対馬侵攻の準備を進めます。

ついに自衛隊が、政府を無視して動き始めます。こういう時のために、2006年、自衛隊に統合任務部隊（JTF）が作られ、統合幕僚監部が創設されていました。

これは陸・海・空の3つの自衛隊を幕僚監部からの指令で、統一して作戦を実行するシステムで、この時このシステムが初めて稼働しました。

自衛隊は、まったく動く様子のない菅直人首相、北澤俊美防衛相の指示を待たず、独自の判断で、日本海に部隊を展開、米軍が同地域に艦隊を派遣します。

日本海を挟んで、韓国・中国軍と、自衛隊・米軍のにらみ合いが続きました。

延坪島砲撃開始！

そして、北朝鮮が動きます。2010年11月23日、14時34分、北朝鮮は、韓国との国境沿いにある大延坪島に向けて、170発の砲弾を発射します。

そのうち、80発が島に命中、島に駐留していた韓国軍の陣地を火の海にします。

これを見て、韓国軍は釜山に集結していた部隊を、引き返させ、延坪島の防衛に当たらせます。

これによって、日本海をまたぐにらみ合いは終了し、対馬侵攻の危機は回避されたというわけです。

北朝鮮の絶妙のアシスト

日本は朝鮮戦争に続き、またしても、まったく身動きできない状況での韓国の野望を、北朝鮮によって、阻止してもらったわけです。

北朝鮮によるミサイル発射も、延坪島砲撃も、すべて日本にとっての北朝鮮からのアシストであることがおわかりいただけたと思います。

北朝鮮の真実 11

北朝鮮と中国の腐れ縁は金正恩が断ち切った⁉二転三転する北中関係の謎

金正恩の行った大粛清

２０１１年12月17日、金正日が死去し、２日後の12月19日に、国営の朝鮮中央放送によって、金正日の訃報とともに、金正恩が、後継の北朝鮮指導者であることが内外に示されました。

翌２０１２年１月28日、金正恩は、社会主義企業責任管理制や圃田（ほでん）担当責任制などの、資本主義化政策を実施します。

同時に金正恩は、２０１２年から13年にかけて、軍上層部および与党朝鮮労働党上層部の大量粛清を実行します。

２０１３年８月には、「銀河水管弦楽団」の音楽家など９人を、ポルノ映像制作の容疑で公開処刑しました。

同年12月には、叔父で金正日の腹心だった、張成沢（チャンソンテク）を処刑します。

その後、粛清は党幹部と政府高官におよび、結局２０１５年までに70人余りの国家上層部の人々が粛清されることになりました。

2017年2月13日に、マレーシアの首都、クアラルンプールの空港で、兄である金正男を毒殺し、粛清は完了します。

中国と結びついた勢力

この時、粛清の対象となったのは、中国と結びつき、北朝鮮内部に潜り込んでいたディープステートたちです。

音楽家のポルノ映像制作の件では、北朝鮮の女優が出演していたとして報道されましたが、これは要するに、ディープステートたちがやっていた、児童性愛映像を押さえたということです。

彼らは北朝鮮でも、同じようなことをやっていたわけです。

建国から60年余り経過する間に、北朝鮮国内にも、ディープステートが入り込んでいたのです。彼らは、中国経由で国内に入り込んでいました。そしていつものやり方で北朝鮮の高官たちを籠絡し、北朝鮮国内で、ある程度の勢力を持つに至ったわけです。

この背景には、北朝鮮が、この時に至るまで中国との関係を切ることができなかったという事情があります。それはどうしてか、少し時間をさかのぼって見てみましょう。

中国共産党を援助した大日本帝国陸軍

大東亜戦争の開戦に先立ち、1937年から、日本と中国の間で日中戦争が行われていました。戦っていたのは、関東軍、すなわち大日本帝国陸軍中国方面部隊と、蔣介石を指導者とする中華民国の国民党軍です。

このとき中国国内には、毛沢東を指導者とする中国共産党軍がいました。蔣介石はこの共産党軍を主な敵とみなし、日本軍よりも優先して共産党軍と戦っていました。

日本陸軍は、これを見て、蔣介石の国民党軍の力をそぐために、毛沢東の共産党軍に、武器・弾薬、資金や食料を援助しました。

陸軍の思惑通り、共産党軍は成長し、蔣介石軍を苦しめたのですが、決着がつく前に、１９４５年、本国日本が降伏してしまいます。

なぜ共産党は国共内戦に勝利できたのか

日本軍が撤退した後の中国で、１９４６年から、蔣介石の国民党と、毛沢東の共産党による内戦、いわゆる国共内戦が勃発します。

普通に考えれば、日本軍と戦った、中国の正規軍である国民党軍が、非正規軍の共産党軍を圧倒しても不思議ではありません。

しかし、世界中の予想を裏切り、毛沢東の共産党軍は、国民党軍に勝利し、蔣介石は台湾に逃亡、１９４９年、毛沢東によって、中華人民共和国が建国されます。

なぜ、非正規のゲリラ軍である共産党軍は、正規軍である国民党軍に勝利を収めることができたのでしょうか。

それは、第二次世界大戦後に、東南アジア諸国が、宗主国相手の独立戦争に勝利したり、ベトナム戦争で、北ベトナムのベトコンが、アメリカ軍に勝利した理由と同じです。

中国国内に残る、残置諜者と、大日本帝国陸軍の残党が、共産党軍に紛れ込み、共産党軍に戦術を指南し、ともに戦ったからです。

旧陸軍の残党たちにとって、国共内戦は、まさに日中戦争の第2ラウンドとでも呼ぶべき戦いでした。

8年間にわたって戦い抜き、ついに決着がつかなかった、蔣介石の国民党との戦いは、ここにおいて決着を見た、というわけです。

北朝鮮と中国の蜜月時代

というわけで、1950年の時点で、残置諜者が創建した国は、世界に2国あったわけです。

金日成を指導者とする北朝鮮と、毛沢東を指導者とする中華人民共和国です。

この時代、この2国は、同じような建国思想を共有し、とても仲が良く、良いパートナーシップを築いていました。

北朝鮮はディープステート支配下の西欧諸国からにらまれ、経済封鎖を受けており、中華人民共和国も、初期のころは資本主義諸国と絶縁状態で、同じ社会主義国のソ連とも、国交がなかったので、この2国の間で貿易を行い、ともに経済的利益を得ていたわけです。

朝鮮戦争の時も、金日成と毛沢東は互いに面識がなかったにもかかわらず、北朝鮮があっさり中国の援軍を受けることができた背景には、お互いの指導者の背後に控える、日本軍の残置諜者の働きかけがあったのです。

毛沢東の暴走と中国の闇落ち

しかし中華人民共和国の指導者、毛沢東がかなりの曲者でした。

毛沢東

彼はもちろん、中華人民共和国の建国に、日本軍の残党たちが果たした役割を熟知していました。実際に、何度も、建国に際する日本軍の貢献に感謝する発言をしています。

しかし、残置諜者たちに担ぎ出されて指導者となった金日成と異なり、毛沢東は、日本軍による援助が始まる前から、中国共産党の指導者でした。

また、残置諜者の政策によって、中国国内における毛沢東の神格化が行われ、疑似天皇制に近いシステムが構築されるにつれて、毛沢東の力はどんどん高まっていきました。

毛沢東は、自らの政策に口出ししてくる残置諜者たちを、疎ましく思うようになり、中国国内に残った残置諜者たちは、次々と毛沢東によって粛清されていきます。

その後、毛沢東が、大躍進政策と文化大革命の失敗によって、失脚し、彼の死後、

4人組が粛清されると、中華人民共和国の実権は、ディープステートの手下である、鄧小平へと移っていきます。

この時点で、毛沢東による粛清と、革命の動乱の中で、中国に残る残置諜者たちはすでに殲滅（せんめつ）されてしまっていました。

鄧小平は、一人っ子政策を実施し、2人目以降の子供たちを売り飛ばし、武漢にアドレノクロム精製施設を建設して、外貨を稼ぎ、中国は経済成長を遂げていきます。

結局、中華人民共和国は闇に落ち、中国共産党はディープステートの巣窟となってしまったわけです。

この辺について詳しくは、私のブログ、

「白ウサギを追え！」19　ハリウッドセレブ、各界著名人の大量逮捕！　中国共産党に潜む深い闇。一人っ子政策の真の目的とは!?

https://shunsasahara.com/entry/2020/12/24/203811

の記事、または書籍『白ウサギを追え！』をご参照ください。

北朝鮮と中国との腐れ縁

中国がこのような状態になってしまった後でも、北朝鮮は中国との縁を切ることができませんでした。

この時代の北朝鮮は、頼みの綱の本国日本からの補給路を断たれ、資本主義国からも社会主義国からも経済封鎖を受けて、事実上の鎖国状態でした。

最後の頼みは、隣国中国との貿易であり、中国がディープステート支配下に落ちた後であっても、中国との経済的関係を切ることはできなかったわけです。

この時代に、北朝鮮国内にも大量のディープステートが侵入し、北朝鮮国内は、従来の親日派と、新たに形成された親中派との間で主導権争いが行われるようになります。

武器輸出による経済発展

このような北朝鮮国内の閉塞状態を打開したのは、皮肉なことに、前項で述べた、1990年代から始まった、北朝鮮のミサイル発射でした。

度重なるミサイルの発射と、その打ち上げの成功によって、北朝鮮製の武器が、世界中の闇市場で高い評価を受けるようになります。

北朝鮮は、パキスタンや、イラン、インドなどの核保有国に、核弾頭とミサイルを輸出できるようになりました。

この武器輸出による莫大な外貨収入によって、北朝鮮は経済的な飛躍を遂げることになります。

現在の北朝鮮

平壌の街並み

平壌の街並み　遠景

マスコミによる報道と異なり、現在北朝鮮国内は、かなりの発展を見せています。

上の写真は平壌の街並みです。かなり高いビルが立ち並んでいますね。

遠景はこんな感じです（写真）。真ん

中の三角形の建物は、平壌の中央にそびえる柳京ホテルです。

国全体としては、大体日本の70年代後半から80年代前半の街並みのイメージです。平壌の中心部については、未来都市の景観を呈している場所がいくつもあります。

武器輸出による安定的な外貨収入を確保することによって、金正恩は、中国との腐れ縁を断ち切り、国内の中国寄りの一派および、国内に潜り込んだディープステートを、２０１５年の時点で、世界に先駆けて、一掃することができたわけです。

日本国内において、北朝鮮と中国を同一視する見方が強いのは、一つには、２０１５年までの北朝鮮と中国の関係が影響していると言えます。

70年代後半から２０１５年にかけて40年近くにわたって、北朝鮮はＤＳ中国との関係を続けていましたので、それが人々の印象に根強く残っているというわけです。

しかし現時点においては、北朝鮮と中国は、まったく独自かつ別の国家であると考えるべきでしょう。

長年における世界各国からの経済封鎖に耐え抜き、ついに独自の発展に成功した北朝鮮は、なかなか骨のある国家であると言うことができると思います。

北朝鮮の真実 12

トランプ大統領は北朝鮮の真実をすべて把握している!? 米朝首脳会談の裏舞台

米朝首脳会談の実現

史上初の米朝首脳会談

2018年6月12日、シンガポールにて、史上初の米朝首脳会談が行われました。

会談したのは北朝鮮の金正恩委員長と、アメリカ合衆国のドナルド・トランプ大統領です。

この会談以降、東アジアにおけるアメリカの軍事・外交は、劇的な変化を遂げていくことになります。

2018年までの朝鮮半島情勢

第二次世界大戦終結時に、朝鮮半島は、38度線を境に、北はソ連、南はアメリカが占領していました。

その後、韓国と北朝鮮が独立し、1950年に朝鮮戦争が勃発し、韓国をアメリカ、北朝鮮を中国が支援し、再び38度線を国境として、1953年、休戦が行われました。

この時、アメリカは、1953年10月1日、韓国と「米韓相互防衛条約」を締結し、韓国と軍事同盟を結びました。

韓国国内には米軍基地が作られ、約2万9000人の在韓米軍が駐留し、韓国軍とともに、韓国およびその周辺の防衛に当たっています。

アメリカは北朝鮮と国交を結ぶことはなく、北朝鮮国内の情報は、韓国を経由して入手していました。

韓国はもちろん、アメリカに対しても、北朝鮮は共産主義国で、資本主義の敵である、世界中の国々の反対を押し切って、核開発を強行し、ミサイルをぶっ放してくる、手の付けられない暴れん坊である、と吹き込んでいました。

2017年9月3日、トランプ大統領は、ツイッター（現・X、以下同）で、

「韓国はようやくわかってきた。私が言ってきたように、北朝鮮との対話などという融和策は意味がないことを。北朝鮮は一つのこと（核武装）しか頭にないのだ」

なんて述べていますので、この時点のトランプ大統領の認識は、マスコミ情報そのものであったことがわかります。

さすがにトランプ大統領と言えども、複雑怪奇な東アジア情勢は苦手、というか、おそらくまったくご存じなかったと思われます、この時点では。

トランプ大統領の認識の変化

しかし、この米朝首脳会談の直後から、トランプ大統領の発言が一変します。

北朝鮮の金正恩委員長に対して、「彼は信頼できる人物だ」と言う一方で、韓国に対しては、

「韓国は米国につけ込む一番の悪者だ。中国と韓国……奴らは右と左から我々を食いものにしてきたんだ」

なんて言うようになります。さすがはトランプさん、たった一度の会談で、真実を見抜き、真の敵はどこかを正確に把握なさったようです。

2度目の首脳会談

2019年2月27日~28日に、ベトナムの首都ハノイにおいて、トランプ、金正恩両首脳の第2回の首脳会談が開かれました。

このときは夕食会を挟んで1泊の日程で会談が行われ、両首脳は忌憚なく意見を交わしていたようです。

翌日、列車で帰国しようとした金正恩委員長に対して、トランプ大統領が、

「あなたが望むなら、我々はあなたを2時間で母国に送り届ける用意がある」と言って、大統領専用機エアフォースワンへの同乗を勧めた、というエピソードが残っています。

この会談の最大の特徴は、事前に用意してきた共同宣言が破棄され、宣言がなされなかったことです。

マスコミは、会談は失敗だ〜、なんて騒いでいましたが、まったく逆です。これはこの会談で、トランプ大統領が、真実を完全に把握したことを意味するのです。

1回目の会談では、事前に用意された共同宣言が発表されました。

（1）アメリカ合衆国と朝鮮民主主義人民共和国は、平和と繁栄を求める両国国民の希望に基づき、新たな米朝関係の構築に取り組む。

（2）アメリカ合衆国と朝鮮民主主義人民共和国は、朝鮮半島での恒久的で安定的な平和体制の構築に向け、協力する。

（3）２０１８年４月27日の「板門店宣言」を再確認し、朝鮮民主主義人民共和国は朝鮮半島の完全な非核化に向け取り組む。

（4）アメリカ合衆国と朝鮮民主主義人民共和国は、朝鮮戦争の捕虜・行方不明兵の遺骨回収、既に身元が判明している遺体の帰還に取り組む。

なんて感じで、北朝鮮の非核化についての記述がありますね。

この時のトランプ大統領は、「どうやら今まで言われてきたことはうそらしい」ぐらいの認識だったと思います。それでとりあえず、この宣言を採択したわけです。

しかし2度目の会談では、北朝鮮の非核化を含む、国務省が事前に作った宣言文を、トランプ大統領自ら破棄しました。

報道では、会談は失敗に終わった、北朝鮮の非核化は暗礁に乗り上げた、とされています。しかしそれこそが、トランプ大統領の望んだことです。

真実を完全に把握したトランプ大統領にとって、北朝鮮の核ミサイルは、アメリカ・日本の脅威にならない、それどころか、中国・韓国の暴走を抑えるのに、必要不可欠である、ということです。

ちなみに日本のマスコミは、拉致問題が〜、と騒いでいましたが、これについてはご覧のように第1回の共同声明でも一言も触れられていませんし、第2回会談では議題にすらのぼっていません。

一方、この時点でアメリカと韓国との間には、在韓米軍駐留経費問題、戦時指揮権移譲問題、GSOMIA脱退問題など、様々な問題がありました。

2017年までは、アメリカが意思を表明し、それを実現させようとしていましたが、これ以降は、とりあえず流して韓国の申し出通りに受け入れるという、おざなり外交に変わっていきます。

トランプ大統領、北朝鮮に入国

そして、2019年6月30日、トランプ大統領の北朝鮮入国が実現します。

2019年6月29日、大阪におけるG20サミットに参加していた、トランプ大統領は、ツイッターで、「金正恩が望むなら、板門店で会う用意がある」とツイートし、サミット後に金正恩と面会することを提案しました。

これに金正恩が答える形で、第3回米朝首脳会談（米朝両国は単なる「面会」だと主張していますが）が実現します。

翌6月30日、韓国を訪問したトランプ大統領は、米韓首脳会談を終えると、そのまま板門店に移動し、待ち構えていた北朝鮮の金正恩委員長と面会します。

上の写真は、トランプ大統領が、アメリカ大統領として初めて、北朝鮮に入国するシーンです。真ん中のブロックが国境線、右が韓国、左が北朝鮮です。

トランプ大統領は、金委員長に「私に渡ってほしいか？」と聞いて、金正恩の意思を確かめた後、北朝鮮に入国しました。

会談は2分の予定でしたが、結局53分にもおよび、その後韓国エリアに戻って、韓国の文在寅（ムンジェイン）大統領を交え、米・朝・韓の3首脳が一堂に会しました。

文在寅の横槍

この時トランプ大統領に同行していたボルトン大統領補佐官は、2020年に出版された『ジョン・ボルトン回顧録トランプ大統領との453日（邦題）』の中で、この時のことを回想しています。

それによると、トランプ大統領はこの会談において、金正恩との2人きりの面会を望んでおり、当初は文在寅大統領の同席を拒否したそうです。

しかし文在寅大統領が激しく食い下がり、結局ついてきてしまったとのことです。

文在寅大統領がついてきた理由は、一つには儒教国独特の体面を保つ、という発想があるでしょう。

さらにもう一つは、トランプ大統領と金正恩が2人だけで話し合うことにより、これまで自分がついてきた北朝鮮に関するうそが、すべてばれてしまうのではないか、という恐れがあったのではないでしょうか。

しかし文在寅の懸念はすでに手遅れでした。トランプ大統領はすべての真実を把握し、文在寅のうそはすべてばれてしまっていました。

その後2019年8月24～26日にフランスで行われたG7サミット初日の夜、各国首脳が外交・安全保障問題を議論している最中に、トランプ大統領は、各国首脳に対し公然と、

「文在寅という人は信用できない」

「金正恩は『文大統領はうそをつく人だ』と俺に言ったんだ」

と述べ、韓国の文在寅大統領に対する不信感を露わにします。

さらに翌8月27日の夕食会の席上では、文在寅大統領について、

「なんであんな人物が大統領になったんだろうか？」

と述べるようにすらなっています。

朝鮮半島におけるアメリカの外交スタンスの変更

この一連の米朝首脳会談を経て、トランプ大統領の、朝鮮半島における外交スタンスは明らかな変化を見せました。

すでに述べましたが、トランプ大統領は、韓国との懸案となっていた、在韓米軍駐留経費問題、戦時指揮権移譲問題、GSOMIA脱退問題をスルーします。

北朝鮮の核開発問題について、何も触れなくなります。

さらにはG7への韓国の招待に反対するようになります。

そして決定的だったのは、2020年7月23日にアメリカ議会で可決し、トランプ大統領が署名した、アメリカの国防権限法の改正です。

この改正によって、国防権限法に特別条項が追加されました。それは、

国防長官が韓国と日本などの同盟国と協議をして適切だと認めた場合は在韓米

軍を撤収できる

というものです。

トランプ大統領は、いつでも韓国との同盟を打ち切り、アメリカの意志で、アメリカ軍を韓国から撤収できる、という法律を定めたというわけです。

これは、アメリカが、いつでも韓国を切り捨て、北朝鮮につく用意が整った、ということを意味しています。

今後の朝鮮半島

ここまでお読みになったみなさんはすでにおわかりのように、朝鮮半島問題のベストの解決策は、「北朝鮮による朝鮮半島統一」です。

長らく分断された2つの日本を統一し、再び一つの国家となって、ともに手を携えて進んでいく、という未来の姿が、東アジアにとって最も望ましい形となるでしょう。

これまではアメリカと韓国の同盟、在韓米軍、北朝鮮とアメリカのお互いによる敵視などがその道を阻んできましたが、それらの障害はもはや存在しないということです。

残る障害は……もちろん、日本国内における、日本人の意識です。

もはや騙されているのは、日本国民だけなのです。一刻も早く、日本国民が長き眠りから目覚め、真実に気づき、取るべき道を選択していくことを、切に望みます。

北朝鮮の真実 13

これからの日朝関係。
ともに手を携えて輝く未来を!!

金正恩の心臓バイパス手術

２０２０年4月21日、北朝鮮の金正恩委員長が、心臓のバイパス手術を受け、療養中であるという報道がなされました。

金正恩氏が12日に心血管手術、現在も療養中＝メディア（ロイター）
https://jp.reuters.com/article/northkorea-politics-idJPKBN22304O

これについては、手術は成功し金正恩氏は元気であるという説や、手術は失敗し金正恩氏は重体に陥っているという説、金正恩氏はすでに死亡し影武者にすり替わっているという説、手術は実は行われていなかったという説、などが入り乱れ、いまだに結論は出ていません。

一つだけ確かなのは、4月12日以前の金正恩氏と、以後人前に姿を現した金正恩氏は、どうやら別人である、ということです。

上が本物の金正恩委員長です。

下の写真は、手術後に登場した金正恩氏です。顔かたちどころか、体形や、年齢まで異なっているように思われます。完全にダブルですね。

本物は、本当に亡くなったのか、単に姿を隠したのか、わかりません。

私個人は、JFKjr.のように、身の安全を図るための、偽装死を行ったのではないかと思っています。

2020年４月12日以前の金正恩氏

手術後に登場した金正恩氏

写真集の金与正氏

金与正氏

ご本人は、軍事作戦が一段落するころに、姿を現すだろうとにらんでいます。

ちなみに私は前項で述べた、金正日氏のお兄さんの金正男氏も、偽装死であると考えています。

いずれにしても、現在、北朝鮮の政務を取り仕切り、国政の実権を握っているのは、妹の金与正氏です。

右のような感じのちょっときつめの写真が出回っていますね。これもおそらく、北朝鮮のイメージを落とすためのメディアの印象操作でしょう。

金与正氏は、若いころは写真集を出したこともあり、その時の写真が左です。ずいぶん印象が違いますね。

ツイッターにおける謎のアカウント

現在ツイッターには、金王朝の関係者とみられる謎のアカウントが多数存在しています。これらはみな、日本に向けて日本語でメッセージを発信しています。

これって本物ですか？　とよく聞かれます。まずは金王朝の人々は、血統的に日本人であり、幼少時代から日本人の家庭教師による、日本語での厳しい教育を受けていますので、金正日および、その子供たちは、全員日本語がペラペラです。

というか、もはや母国語が日本語、というレベルです。

問題のツイートを見てみましょう。

まずは、トップの金正恩のアカウントです。プロフィールは、

「STAP細胞はあります」

固定ツイートは、

「あの……まだ死んでませんけど……」となっています。

金正恩氏本人（？）のツイッターアカウント

ツイートの内容も、食事の内容や、日本人女性へのメッセージ、占いや、金正恩によるご教訓などです。

内容的には完全にネタアカウントですね。

次は妹の金与正氏のアカウントです。こちらは完全にガチです。

最新の国際情勢や、対ＤＳ軍事作戦の進行具合、各国情報部の動向、国際条約の裏の駆け引きなど、国家機密レベルの情報を惜しみなく披露しています。しかも、要所要所で日本に対して進むべき道のアドバイスもくれています。

情報の精度や、分析、洞察、どれをとっても一級品です。ぜひご一読をお勧めしま

北朝鮮の真実13

これからの日朝関係。ともに手を携えて輝く未来を!!

金与正【公式】
229 件のツイート
フォロー中
金与正【公式】
@kim_yojong_1988
North Korea Pyongyang
2020年5月からTwitterを利用しています
11 フォロー中　1.2万 フォロワー
ツイート
ツイートと返信
メディア
いいね
金与正【公式】
@kim_yojong_1988
日本の皆様、はじめまして
金与正 と申します。
兄のTwitterから代理で投稿をしていましたので、はじめてではない方もいるかと存じます。
今回は兄の件で色々とお騒がせをしました。
本日より、わたくしもTwitterを始めましたので、今後も宜しくお願いいたします。
午後6:37 · 2020年5月3日

金与正氏のアカウント

す。

それと同時に、国家機密情報が金与正氏にすべて集まり、国政を金与正氏が采配しているのがよくわかります。

このツイートですが、内容的に、偽物やなりすましでは絶対に書けない内容となっています。本物の国家指導者が、本当に自国民や日本国民のためを思って書いているのが、文章から伝わってきます。

一方で、金正恩氏の方は、本人（？）のツイートによると、

金正恩【公式】
@kimjungil2
…
金正恩DAYルーティーン
8:00 起床&朝食
11:30 ワーキングランチ
15:00 本日のネタを考え始める
16:00 ネタの投稿（一撃目）
19:00 ネタの投稿（追撃）
22:00 ネタの投稿（最終投稿）
23:00 YouTube観る
24:00 寝る
午後0:30 · 2020年12月26日
24 件のリツイート 3 件の引用 290 件のいいね 2 ブックマーク

金正恩氏本人（？）のツイート

となっています。どうやら一日中ツイートのネタを考えておられるようです。

まあ、こちらは、療養中のご本人、もしくは妹が、余興でやっているアカウントであると思われます。

その他にも、通常では考えられないアカウントが多数あります。

左頁は金与正2号さんのアカウントです。2号さ

金与正２号さん（？）のアカウント

んは金与正氏のダブルで、金与正氏の代わりに公式行事に出席なさったりしているようです。

ツイートの内容は、本物の金与正氏に比べると、数段劣化しています。まあ、偽物ですね。

しかしこれを外国人がなりすましでやっていたら、さすがに北朝鮮の暗殺部隊が派遣されると思いますので、やはりご本人公認の下で、本物の偽物がツイートしていると思われます。

本物の偽物がやっている、本物の偽物ツイートですね。
こちらはさらにとんでもないです。暗殺されたはずの金正男氏のツイッターです。
居住地欄は「あの世」となっていますね。

金正男氏（？）のアカウント

おそらく偽装死した金正男氏が、本当にツイートしているのではないかと思われます。こちらも、もしこれを、外国人のなりすましがやっていたら、さすがに北朝鮮から暗殺部隊が派遣されるでしょうから。

目的はもちろん「俺は死んでないぞ～」ということを伝えるためです。

謎のアカウントの意味

これらの日本に向けた北朝鮮アカウントの意味は、もちろん日本へのメッセージです。

金与正氏のメッセージは、日本に向けた、ガチの国政アドバイスです。この通りにやれば、ほんとに良い国になるなあ、と思われる内容です。

残りの3人は、余興ではありますが、「見た目に騙されるなよ」という意味であると思います。また3人ともメッセージの内容が、日本への愛にあふれております。

我々は日本を思っているよ、という日本人に向けたメッセージでしょう。

南北共同連絡事務所爆破事件

爆破された南北共同連絡事務所

2020年6月16日、北朝鮮の南西部、韓国との国境近くの開城工業団地にある、南北共同連絡事務所が爆破されました。

爆破指令を出したのは、金与正氏です。金与正氏は北朝鮮国境地帯への、韓国からの風船ビラに抗議し、この建物を爆破すると予告していました。韓国がビラまきをやめなかったため、予告通り、この建物を爆破したというわけです。

ということで、名目上の理由は北朝鮮への中傷ビラですが、これはつまり、韓国との断絶の意志を、金与正氏がはっきりと表明したものだととらえるべきでしょう。

その後、2021年3月16日、金与正氏は、アメリカのバイデン大統領に対し、韓国における米韓合同軍事演習をやめるよう警告しました。

これも、韓国およびアメリカのDSに対する、はっきりした拒絶の意思表示ですね。

北朝鮮、バイデン政権に戦争ゲームの中止を指示
https://www.newsmax.com/us/kim-yo-jong-leader-warning-denuclearization/2021/03/15/id/1013914/

ちなみに北朝鮮は、アメリカ合衆国におけるバイデン氏の大統領就任を認めておりません。ディープステート断固拒否を、国家としてはっきり意思表示しているわけです。

これからの展望

以上のように北朝鮮とは何かを、一言で言うならば、「第二次世界大戦後、解体されずに残った大日本帝国」である、と言うことができるでしょう。

大日本帝国の精神、帝国が掲げた大東亜共栄圏の理想は、日本では失われてしまいましたが、北朝鮮において今も脈々と受け継がれているのです。

北朝鮮はまさに第2の日本であり、現代の日本が失ってしまった精神を、今に受け継ぐ国であると言えます。

北朝鮮はすでに準備ができています。もちろん、韓国に攻め込んで、北朝鮮の力で朝鮮半島を統一する準備です。

もしそうなったとき、日本はこれを受け入れることができるでしょうか。

もっとも準備ができていないのは日本本国です。日本国民に一刻も早く真実を伝え、北朝鮮による半島統一を支援するべきです。

統一後は、かつてのように併合するという愚策を犯すことなく、日本人は日本、朝鮮人は朝鮮にすみ分け、別の国家として自立した上で、対等の立場で、ともに手を取り合って、繁栄を目指していくべきでしょう。

その時には、もちろん、今まで北朝鮮が日本を守ってくれたことに感謝し、誤解していたことを謝罪するべきでしょう。

さらに、現地にわずかに残る残置諜者たちに、戦争が終わったことを告げ、70年余りにわたるご苦労をたたえ、残置諜者の任務を解除してあげることができたらいいなと思います。

両国の益々の繁栄と発展を祈念いたしております。

笹原 俊　ささはら しゅん
1966年、埼玉県生まれです。

新卒で不動産会社に就職したのですが、2か月後にバブルが崩壊……。

その後、予備校講師や家庭教師をやりながら、ローマ史、古代日本史などの歴史や、経済問題、国際関係などを研究する日々を送っています。

『笹原シュン☆これ今、旬!!』というブログを書いています。

その他、Kindleでの出版、Twitter（現・X）でのつぶやき、各地で開催するお話会、YouTube、ニコニコ動画などで、日々、この世界の真実を発信しています。

主な著書に『ネサラ・ゲサラ（NESARA/GESARA）がもたらす新時代の経済システムとは!?』『マッドフラッド 泥海に沈んだ先進文明タルタリア』『第二次世界大戦の真実』（以上、ヒカルランド刊）など。

https://shunsasahara.com/

編注：本文中のURL、用語の表記は執筆当時のものが残っています。現在はページが削除されていたり、用語が変更になっていたりする場合がありますので、ご了承ください。

北朝鮮の真実
〜北朝鮮は日本が創った国だった!?〜

第一刷　２０２３年12月31日

著者　笹原　俊

発行人　石井健資
発行所　株式会社ヒカルランド
〒１６２-０８２１　東京都新宿区津久戸町３-11　ＴＨ１ビル６Ｆ
電話　０３-６２６５-０８５２　ファックス　０３-６２６５-０８５３
http://www.hikaruland.co.jp　info@hikaruland.co.jp
振替　００１８０-８-４９６５８７

本文・カバー・製本　中央精版印刷株式会社
ＤＴＰ　株式会社キャップス
編集担当　YUUKI

ISBN978-4-86742-310-3

＊ご案内の価格、その他情報は発行日時点のものとなります。

ヒカルランド　好評既刊！

地上の星☆ヒカルランド　銀河より届く愛と叡智の宅配便

ネサラ・ゲサラ（NESARA/GESARA）が
もたらす新時代の経済システムとは！？
著者：笹原 俊
四六ソフト　本体 1,500円+税

ヒカルランド　好評既刊！

地上の星☆ヒカルランド　銀河より届く愛と叡智の宅配便

白ウサギを追え！
著者：笹原 俊
四六ソフト　本体 1,500円+税